Témoignage

Nicolas Sarkozy

Témoignage

XO
EDITIONS

© XO Éditions, 2006
ISBN : 2-84563-287-8

Introduction

D'aussi loin que je me souvienne, j'ai toujours voulu agir. Dans mon esprit la parole, les idées, la communication n'ont de sens que dans la mesure où elles permettent et surtout facilitent l'action. Transformer le quotidien, rendre l'impossible envisageable, trouver des marges de manœuvre, voilà ce qui m'a toujours passionné. C'est pour cela, à cause de cela, par cela que je me suis engagé dès mon plus jeune âge dans l'exercice des responsabilités et dans la conquête de ce que l'on appelle de façon vague le pouvoir.

Cette passion aurait pu se concrétiser dans l'entreprise, dans la vie associative, dans l'intervention humanitaire, que sais-je encore. La politique n'était pas une tradition familiale. Tout même aurait dû m'en éloigner : je n'avais ni relations, ni fortune, je n'étais pas fonctionnaire et j'avais un nom qui, par sa consonance étrangère, en aurait convaincu plus d'un de se fondre dans l'anonymat plutôt que de s'exposer à la lumière.

J'ai exercé le métier d'avocat et je l'aime. Il m'a de surcroît donné le confort de la certitude d'avoir un métier entre les mains. Sans lui, je n'aurais jamais pu assumer les risques que j'ai pris tout au long de ma carrière. Je lui dois l'indépendance dont j'avais besoin pour rester un homme libre. Il est tellement plus facile de dire non quand on sait de quoi son « lendemain professionnel » sera fait.

À moins de quinze ans toutefois, c'était déjà la politique qui aimantait tout mon intérêt et tout mon désir. Je n'ai pas choisi de faire de la politique. Je ne me suis jamais dit « je voudrais faire de la politique » ou « comment faire de la politique ». Cela s'est produit de manière aussi évidente qu'irrésistible. C'est pourquoi je n'ai jamais vraiment voulu ni cherché à l'expliquer. Je n'ai pas le souvenir d'une rencontre, d'un événement ou d'une lecture qui aurait joué un rôle décisif dans cette orientation. C'était au fond de moi et c'eût été me renier que de ne pas le laisser s'accomplir. Et c'est sans doute aussi pour cette raison que, malgré les obstacles dressés sur ma route, les échecs que j'ai eus à subir, les épreuves que j'ai dû traverser, cette passion l'a toujours emporté.

Dans le mystère de toute vocation, les années de jeunesse laissent toutefois nécessairement des traces. Il serait faux de reconstruire *a posteriori* un cheminement qui tient plus à ce que je suis au fond qu'à ce que j'ai vécu dans mon enfance et dans mon adolescence. Il le serait tout autant de dire que rien ni personne n'a compté dans le mûrissement de mon engagement.

Le fait d'être un fils d'immigré, de la première génération par mon père, venu de Hongrie après le dramatique partage de Yalta, de la deuxième généra-tion par ma mère dont le père était un juif originaire de Salonique, a certainement joué un rôle. Dans cette France des années 1960, où notre pays unissait toutes ses forces pour se moderniser et se développer, c'était sans doute plus facile qu'aujourd'hui d'être un fils d'immigré. Mais la France, nous l'aimions. Elle n'était pas un dû. Toute mon enfance, juché sur les épaules de mon grand-père, je ne me suis jamais lassé de regarder, fasciné et ému, les défilés du 11 novembre et du 14 juillet. L'idée même de critiquer la France ne nous serait jamais venue à l'esprit.

Si « toute vocation commence par l'admiration », comme l'a dit un jour Michel Tournier, alors je dois également parler du général de Gaulle, et plus encore du gaullisme. Parce que j'étais trop jeune, ma famille m'a interdit de participer à la grande manifestation de soutien au général de Gaulle du 31 mai 1968 qui a suivi les événements du même mois. Mais comme des milliers de Français qui eurent la même idée, j'ai déposé une fleur sous l'Arc de Triomphe le jour des obsèques du grand homme. Transcendant tous les clivages politiques et sociaux, le gaullisme a rassemblé des millions de Français de toutes origines, de toutes classes sociales, dans une « certaine idée de la France » et dans une volonté de modernisation et de transformation de notre pays. J'ai été fasciné par cette capacité à transgresser les habitudes, les conformismes, les traditions pour pousser tout un pays vers l'excellence.

La politique a sur toute autre forme d'action et d'engagement cet avantage immense, cet intérêt unique et tellement exigeant, de se faire avec le peuple, pas contre, ni sans lui. C'est dans la ferveur populaire des rassemblements gaullistes que j'ai fait mes premières expériences politiques et que j'ai puisé la confirmation qu'en m'engageant en politique je ne m'étais pas trompé. J'aime les gens. J'aime les rencontres, les échanges, les émotions collectives. J'aime l'idée d'une action commune, vers un même objectif. Je sais que c'est la seule façon d'agir, que nous n'arriverons à rien autrement. J'aime convaincre. La politique n'a pour moi aucun sens si elle ne se fixe pas pour but de donner un espoir à des millions de gens.

Et puis enfin, j'ai eu très jeune la conviction que celui qui ne construit pas l'avenir est condamné à le subir. Ce n'est pas un secret : je n'ai pas la nostalgie de l'enfance. J'ai attendu avec tant d'impatience de devenir adulte, d'être libre. Enfin libre. Cela m'a donné l'obsession de vivre le temps présent avec l'énergie de celui qui sait que la promesse du futur ne tombe pas du ciel. Construire est, avec aimer, l'un des plus beaux mots de la langue française. On construit sa maison, sa vie, sa famille, le bonheur de celle-ci et parfois de son pays. On aime sa famille et on aime son pays avec passion. C'est une attention et une énergie de tous les instants. Il ne faut jamais arrêter, encore moins renoncer ou baisser les bras. Aujourd'hui plus encore qu'hier, comment pourrais-je l'oublier ? La destruction est si vite arrivée, aussi bien sur le plan privé que public.

Je n'ai pas l'intention de faire dans ce livre le « tour de la question » du pouvoir. Je ne prétends définir aucune théorie, fixer aucun théorème, intellectualiser aucune expérience. Je veux juste raconter une vie où l'ambition de faire joue un grand rôle.

J'aimerais témoigner de ce que j'ai voulu faire, de ce que je veux faire, et au-delà, de tout ce qu'il est possible de faire. Notre pays traverse une immense crise de confiance que les responsables politiques reçoivent de plein fouet. La caractéristique de notre société est l'absence d'espoir alors que le but de la politique est justement d'en donner un. Je refuse la fatalité. Le mot, l'idée, les conséquences m'en sont insupportables. Tant de gens ont renoncé. Renoncé à croire que demain peut être plus prometteur. Renoncé à la promotion sociale pour leur famille. Renoncé à un avenir plus heureux pour leurs enfants. L'énergie qui subsiste dans notre société est utilisée non pour progresser, mais pour se protéger. Se protéger de tout et de tous semble être devenu le dernier recours de trop de nos compatriotes.

Je voudrais tant que la prochaine élection présidentielle soit différente. Que les Français votent « pour », plutôt qu'une fois encore ils se contentent de rejeter. Qu'ils votent pour un projet, mais surtout qu'ils votent pour le changement, pour un autre lendemain où beaucoup serait possible grâce à l'effort, au travail, au mérite. Je veux expliquer qu'il n'y a pas de fatalité pour celui qui veut bien oser, tenter, entreprendre. Montrer que la hardiesse peut se révéler plus prudente que la prudence elle-même. Montrer que celui qui ne prend aucun risque en réalité les prend tous. Dans un monde qui bouge à toute vitesse, l'immobilisme est la posture la plus risquée pour notre pays comme pour chaque Français.

Construire c'est agir, mais en prenant le temps de la réflexion. C'est faire, mais au service d'un projet. Trop de responsables politiques n'ont plus de vision, parce qu'ils ne croient plus dans leur capacité à changer l'avenir. Ils confondent la vision avec la prophétie. Ils croient qu'on leur demande de prédire le futur, alors qu'on leur demande de l'inventer. Le rôle de la politique est de proposer un avenir et de le permettre. Voilà pourquoi je m'y consacre, voilà pourquoi je crois encore dans la volonté et voilà ce qui justifie, à mes yeux, de vouloir conquérir les plus hautes responsabilités. Construire et aimer ? Ce pourrait être une promesse. Pour moi, c'est une vie. Ma vie.

Chapitre I

Le 21 avril 2002, un maelstrom

Le contexte dans lequel nous avons pris les rênes du gouvernement en 2002, après le résultat dramatique du 21 avril, était très difficile. Les 82 % obtenus par Jacques Chirac au second tour des élections présidentielles dissimulaient mal les performances médiocres des candidats dits de gouvernement au premier tour, ainsi que l'absence de programme précis sur lequel bâtir l'action, à l'exception notable des questions de sécurité. J'ai toujours pensé que la gravité de ce qui s'était passé le 21 avril résultait autant de l'ampleur des résultats obtenus par les partis extrêmes que de la faiblesse de ceux obtenus par Lionel Jospin et, disons les choses comme elles sont, par Jacques Chirac.

En réalité, qu'une catastrophe de cette nature finisse par survenir était prévisible. Cela faisait des années que le fossé se creusait entre les Français et les responsables politiques et que les signes annonciateurs d'un tsunami politique s'accumulaient.

Premier signe avant-coureur, l'instabilité politique. Depuis 1981, les Français n'ont jamais reconduit un seul gouvernement en place, une situation ignorée de la plupart de nos partenaires européens. En Allemagne, le gouvernement d'Helmut Kohl a connu seize ans de pouvoir continu entre 1982 et 1998. En Espagne, neuf années de gouvernement Aznar ont succédé à quatorze ans de gouvernement Gonzalez. En vingt-sept ans, la Grande-Bretagne a eu 3 Premiers ministres, la France 12. Ce chiffre est proprement consternant et montre la vanité de nos déclarations sur la stabilité des institutions. Pendant ce temps, nos partenaires disposent de temps pour mener des réformes et procéder aux adaptations nécessaires.

L'abstention, ensuite. Elle a doublé en vingt ans. La France figure désormais parmi les pays de l'Union européenne où le taux d'abstention est le plus élevé (57 % aux élections européennes de 2004 contre 44 % en moyenne dans l'Union européenne). L'abstention est particulièrement forte chez les jeunes de moins de trente-cinq ans, chez les chômeurs et chez les personnes aux revenus modestes, c'est-à-dire chez ceux qui n'ont quasiment connu en politique que l'immobilisme des vingt dernières années ou qui en souffrent le plus directement. Ce n'était vraiment pas la peine de se moquer des dernières élections législatives italiennes où le taux de participation atteignit le niveau record de 83 %. Messieurs Prodi et Berlusconi sont ce qu'ils sont, mais convenons qu'ils ont su convaincre les Italiens de se rendre aux urnes. Ce qui n'est déjà pas si mal et prouve au moins une capacité certaine à intéresser.

Le phénomène de non-inscription sur les listes électorales, de l'ordre de 6 à 10 % selon les évaluations, progresse lui aussi, alors même que l'inscription des jeunes sur les listes électorales de leur lieu de résidence est désormais automatique lorsqu'ils atteignent l'âge de dix-huit ans. Ce n'est donc pas une question d'oubli ou de négligence de leur part. Entre 1998 et 2002, Paris a perdu 1 % d'habitants, mais 13 % d'électeurs inscrits, Brest 1 % d'habitants, mais 11 % d'électeurs inscrits. Le vote blanc ou nul est passé pour sa part de 0,9 % des inscrits en 1974 à 3,4 % pour le premier tour de l'élection présidentielle de 2002, soit un million de personnes.

Enfin, il n'y a qu'en France que le vote protestataire a pris une telle importance (19 % pour l'extrême-droite le 21 avril 2002, 30 % avec l'extrême-gauche).

Si l'on additionne l'abstention, le vote blanc et nul et le vote protestataire, 56 % des électeurs ne se reconnaissent plus aujourd'hui dans le fonctionnement de notre démocratie. Plus d'un électeur sur deux ! Alors qu'ils n'étaient que 30 % en 1981. Comment espérer être soutenus par une majorité de

Français lorsque les réformes interviennent, puisqu'une majorité de Français n'a de toute façon ni voté pour nous, ni voté pour ceux qui nous portent la contradiction au Parlement ?

Il est certain que l'échec de Lionel Jospin fut d'abord la conséquence de son incapacité à drainer vers sa personne et vers son projet plus de 16 % des suffrages, et non pas celle de la dispersion des voix de gauche sur des candidats plus ou moins fantasques. Quelle drôle d'idée aussi pour Lionel Jospin d'entamer sa campagne présidentielle en affirmant que son projet n'était pas socialiste. Ses électeurs ont reçu le message cinq sur cinq en ne votant pas pour lui ! Si c'était le but recherché, ce fut un triomphe… La réponse à la quête de sens des Français ne doit pas conduire à cesser d'assumer son identité politique. La droite a souvent été experte en la matière à force de s'excuser de ne pas être la gauche. C'est à partir de son identité politique que l'on peut élargir son spectre électoral. On est de droite ou de gauche et on doit essayer de donner à cette réalité politique un contenu le plus ouvert possible.

Je me suis beaucoup mobilisé pour décomplexer la droite française. Longtemps, elle a paru comme tétanisée par une gauche qui n'aimait rien tant que se poser en donneuse de leçons. Et c'est ainsi que la droite, condamnée au silence complice, finit par perdre une large partie de son identité. Elle se vit interdire de parler de l'immigration, reprocher d'évoquer l'insécurité, accusée de réformer la fiscalité, dénoncée lorsqu'elle s'intéressait à l'école ou à la culture, domaines réservés à la gauche. Au lieu de se définir par ce qu'elle était, elle se définissait à la longue par ce qu'elle n'était pas ou plus. Ni de droite, ni de gauche, ni du centre. Au final, cela donnait un mélange complexe qui cumulait tous les inconvénients : trop à droite pour la gauche, pas assez pour la droite. Trop souple sur ses valeurs traditionnelles, trop rigide à propos des idées modernes. Cette stratégie suicidaire explique en partie la persistance du phénomène du Front national.

Mais enfin, quelles que furent les erreurs du candidat Jospin, se retrouver avec Le Pen au second tour des élections présidentielles, quel cataclysme ! C'était à la fois tellement contraire à l'identité de la France que personne ne pouvait y croire et tellement prévisible que personne ne l'avait vu venir.

L'Intérieur, un ministère en prise avec le réel
Le président de la République ayant décidé de prendre Jean-Pierre Raffarin comme Premier ministre, j'acceptai la responsabilité de ministre de l'Intérieur. À la vérité, je n'ai guère été déçu de ne pas avoir été nommé Premier ministre tant je doutais déjà à l'époque de la volonté du président de me le proposer. D'une certaine façon, je le comprenais. Il

s'était battu durant la campagne pour gagner. Il avait gagné. Il voulait gouverner. Me désigner, c'était partager le pouvoir. Ce n'est pas dans son tempérament. En revanche, je voulais participer à la nouvelle action gouvernementale.

Pourquoi l'Intérieur plutôt que les Finances, qui me furent également proposées à l'époque et que je devais accepter deux ans plus tard ? D'abord parce que les attentes des Français étaient très fortes en la matière et le mandat clair. Depuis 1999 et mon échec aux élections européennes, j'avais beaucoup réfléchi sur l'état de notre pays, sur celui de notre famille politique, sur notre manière de gouverner, sur notre façon de faire de la politique. Les Français voulaient de l'action, ce ministère avait besoin de réformes profondes, le terrain était donc plus que favorable pour mettre en œuvre ce qui me paraissait urgent : le refus de la fatalité et la culture du résultat.

Et puis, le ministère de l'Intérieur, c'est la vie, dans ce qu'elle a de dramatique et de passionnant à la fois, qui surgit en permanence à la porte de votre bureau, le jour comme la nuit : prises d'otages, menaces terroristes, incendies de forêts, manifestations, *rave parties*, grippe aviaire, inondations, disparitions… La responsabilité y est écrasante. Il n'y a pas de semaine sans que je doive prendre et assumer des décisions difficiles et donner des instructions qui entraînent des risques pour ceux qui se dévouent tous les jours au service de la sécurité des Français. Engager les hélicoptères au moment des émeutes de novembre 2005, laisser partir Yvan Colonna pour plusieurs heures de promenade le jour de son arrestation, afin de sécuriser nos plans ; déclencher au moment opportun une opération d'arrestation de terroristes présumés, autoriser les Canadairs à revoler après un crash dramatique, donner l'ordre au GIGN ou au Raid de pénétrer dans la maison d'un preneur d'otages... Les exemples sont aussi divers qu'innombrables. Il faut de l'intuition, de l'écoute, de l'expérience et de la chance. Je l'ai découvert tout au long de ces trois années. Mais je savais dès le mois de mai 2002 que les hommes et les femmes qui servent ce ministère ont un sens profond de l'engagement et une haute conception de l'intérêt général et du service public. Ce sont des métiers où l'on risque réellement sa peau. Ce n'est pas si fréquent. Cela donne des caractères trempés, attachants, exigeants, sensibles aussi car confrontés en permanence aux misères humaines. J'aurais beaucoup à leur demander. J'étais sûr qu'ils seraient au rendez-vous. J'avais envie de vivre cette aventure. Ils ne m'ont pas déçu.

Chose moins connue, le ministère de l'Intérieur est aussi le ministère des grandes libertés. On le voit surtout dans ses fonctions de maintien de l'ordre. On oublie qu'il est le ministère de la liberté d'aller et venir, de la liberté d'expression, de réunion, de suffrage, d'association, de la liberté de religion, des libertés locales... Ce n'est pas incohérent, au contraire. La sécurité est la condition première des libertés. Mais cela ajoutait à ma sphère de compétences des questions aussi essentielles et délicates que l'immigration, les cultes, ou encore les collectivités locales, notamment la Corse.

Mon premier geste fut naturellement de choisir mes collaborateurs, en particulier mon directeur de cabinet. Dans l'exercice du pouvoir, il n'y a au fond que deux choses difficiles à faire, mais pour le coup, elles le sont vraiment. La première consiste précisément à ne pas se tromper dans le choix de ses collaborateurs. Savoir choisir ses proches. Mettre la bonne personne au bon endroit et, en cas d'erreur, en tirer immédiatement les conséquences : voilà sans doute la tâche la plus ardue. Elle ne demande pas seulement une capacité à sentir les gens, elle exige beaucoup d'expérience pour connaître les ressources humaines de la haute fonction publique et savoir dénicher l'oiseau rare ! Je savais depuis de nombreuses années que Claude Guéant avait toutes les qualités d'un technicien hors pair. J'ai découvert à l'usage qu'il avait de surcroît une humanité dont j'ai pu mesurer, dans l'épreuve, qu'elle faisait de lui un ami indispensable.

Notre fonction publique souffre de la même déconsidération que les responsables politiques.

Comme toute profession, elle comprend de bons éléments et de moins bons, mais elle est profondément honnête et compte des hommes et des femmes d'une qualité exceptionnelle. Je veux dire l'atout que cela représente d'être entouré de femmes et d'hommes qui ont une longue pratique du service de l'État. Durant les vingt-cinq nuits d'émeutes de novembre 2005, Claude Guéant et Michel Gaudin, le directeur général de la police nationale, ne m'ont pas quitté. Nous avons connu quatorze nuits quasi blanches consécutives. Ils ont été calmes, concentrés, déterminés, professionnels. Bien sûr c'était à moi de prendre les décisions et puis surtout de les assumer. Mais jamais je n'aurais pu le faire avec une relative sérénité si je n'avais été constamment éclairé par leurs conseils avisés.

La seconde difficulté consiste à savoir placer le curseur des informations qui doivent vous remonter, le rôle d'un responsable politique consistant à transformer des informations en décisions. Mieux vaut être attentif à cette question. Trop d'informations et l'on est instantanément noyé. Pas assez et la décision devient bancale, car l'analyse se trouve tronquée. Déléguer suffisamment, mais pas trop. S'informer complètement en évitant d'être submergé.

En réalité, on apprend à surmonter ces deux grandes difficultés par l'expérience. La politique est un métier qui ne s'improvise pas. Cela ne veut pas dire que son exercice doit être réservé à des initiés, mais que l'on doit s'astreindre à le faire en professionnel, en prenant le temps de comprendre pour finalement apprendre.

Les bonnes décisions viennent du terrain

Dès mon arrivée, j'imprimais sur mon cabinet et sur l'administration ma conviction absolue qu'il fallait en permanence être au contact du terrain et des Français. Lire les dossiers, prendre les bonnes décisions, veiller à l'application de nos politiques par l'administration, élaborer et faire voter les textes au Parlement, assurer la représentation et la défense de nos intérêts dans les négociations européennes et à l'étranger, consulter la presse, trouver enfin le temps indispensable à la réflexion préalable à toute action, s'additionnent rapidement pour remplir l'agenda du matin à la nuit, sept jours sur sept. S'enfermer dans une bulle, ne plus voir que ses collègues du gouvernement, ses collaborateurs et quelques journalistes parisiens, ne plus lire que des notes administratives, est une des plus graves menaces qui pèse sur l'exercice du pouvoir.

Le soir même de ma prise de fonctions, je me rendis donc dans des commissariats et dans des brigades de gendarmerie de la région parisienne. Depuis, je n'ai jamais cessé d'aller sur le terrain, de rechercher le contact avec les Français, de veiller à la manière dont nos décisions sont reçues, comprises et mises en œuvre par nos services locaux. Je regarde beaucoup la télévision. Je consulte de nombreux experts, même ceux qui ne sont pas de mon bord. Je m'efforce d'assister aux obsèques de tous les policiers, gendarmes et pompiers morts en service. Et je me fais un devoir de rencontrer les victimes et leurs familles. D'abord pour les aider. Il faut avoir perdu un être cher ou traversé une grande souffrance dans sa vie pour savoir que ces petites attentions qui peuvent paraître dérisoires à leurs auteurs sont importantes et précieuses pour leurs destinataires, comme autant de mains tendues qui seules ont peu de sens, mais qui ensemble construisent une passerelle pour franchir un précipice. Ces rencontres sont aussi des occasions privilégiées pour comprendre les dysfonctionnements de notre système et leur chercher des remèdes. Si j'ai agi avec détermination en matière de délinquance sexuelle, de disparition d'enfants, de violences conjugales, d'agressions antisémites, c'est parce que j'ai rencontré des dizaines de victimes et des dizaines de familles.

Les déplacements sur le terrain, à Paris comme en province, prennent beaucoup de temps, mais ils sont indispensables. Aucun dossier, aussi soigneusement préparé soit-il, ne remplace l'expérience de terrain. Aucune note administrative ne rend compte de la réalité d'une situation vécue, comme je devais m'en apercevoir plus tard avec la double peine, et comme je m'en aperçus tout de suite avec Sangatte.

Entre 1999, date de l'ouverture de ce centre de réfugiés par les autorités françaises, et 2002, aucun ministre de gauche, ni le ministre de l'Intérieur, ni celui des Affaires sociales, ni celui des Affaires étrangères, ne s'est rendu à Sangatte. Je décidai pour ma part de m'y rendre moins d'un mois après ma nomination. La situation était ubuesque. Au lieu de protéger ses frontières et celles de l'espace Schengen contre l'immigration clandestine, la France protégeait celles de l'Angleterre en retenant sur son territoire des migrants que les Anglais ne voulaient pas accueillir et que nous ne pouvions ramener chez eux faute de papiers pour les identifier, de laissez-passer pour les rapatrier dans leur pays d'origine, ou de paix dans celui-ci pour les y reconduire sans risque. Entre 1999 et 2002, la Grande-Bretagne avait proposé plusieurs fois à la France de modifier sa législation pour la rendre moins attractive. Mais les négociations avaient échoué car la France ne voulait pas, de son côté, fermer le centre. L'immobilisme, telle était donc la solution choisie par les autorités françaises.

Le contraste était saisissant entre ce hangar immense, posé au milieu des champs, bien tenu grâce à l'action de la Croix-Rouge, mais grouillant d'allées et venues, et le village de Sangatte, paisible et modeste, dont la rue principale était continuellement envahie de clandestins. Avec cette chaleur et cette hospitalité qui caractérisent le Nord, les habitants de Sangatte n'ont jamais eu d'autre réaction vis-à-vis du centre que celles de la dignité et de la responsabilité. Mais je crois qu'ils en avaient lourd sur le cœur et le fait qu'aucun ministre n'ait daigné venir les voir en trois ans avait fini par les convaincre que la République les avait abandonnés. D'une capacité initiale d'accueil de 200 places, le nombre de personnes accueillies chaque jour variait entre 1 000 et 3 000 et le centre de Sangatte était devenu un point d'étape et de ralliement connu dans le monde entier par les filières clandestines d'immigration. Un de mes conseillers m'a rapporté avoir un jour entendu, sur une terrasse de café à Marseille, un individu dire dans un téléphone portable : « Sangatte ! Sangatte ! Maintenant, il faut les conduire à Sangatte. » Le reste de la conversation ne laissait aucun doute sur l'activité du personnage.

Je n'oublierai pas de sitôt ma première visite dans le hangar. Trois mille paires d'yeux braquées sur moi, à la fois implorantes et menaçantes. Que des hommes quasiment. Pas un ne possédant un mot de français. Ils attendaient tout. J'avais si peu à donner. Ils étaient calmes et pourtant ce silence était si violent. C'est ce jour-là que je décidai de tous les en sortir. La solution proposée par les services était à l'évidence infaisable, car injuste. Il s'agissait de laisser entrer en Angleterre ceux qui pourraient justifier y avoir un proche déjà installé et de renvoyer les autres dans leur pays si c'était possible. Je ne nous voyais pas faire une telle sélection : sous quelle forme, selon quelle procédure, sur quelles preuves, et surtout au nom de quoi dès lors que tous avaient souffert pour arriver là et payé chèrement des passeurs sans scrupule ? Nous les avions accueillis, l'humanité commandait de tous les garder. L'important était d'arrêter la pompe aspirante. Je décidai d'obtenir des Britanniques qu'ils en accueillent la moitié pendant que la France accueillerait l'autre. Finalement, après un intense marathon diplomatique entre la France, pour qu'elle ferme le centre, l'Angleterre, pour qu'elle modifie sa législation, et l'Afghanistan, pour qu'il accueille les Afghans volontaires désireux de rentrer chez eux, le centre de Sangatte ferma ses portes le 14 décembre 2002, quinze jours avant la date prévue.

Se déplacer sur le terrain fait également une vraie différence sur le plan de l'efficacité de l'action administrative. Beaucoup de lois ne servent à rien, beaucoup de déclarations d'intention n'ont jamais aucune suite visible parce que les responsables que nous sommes ne veillent pas suffisamment à leur application effective sur le terrain, ainsi qu'à la formation et à la motivation des agents. Comment concevoir une politique d'immigration si l'on n'a jamais vu un guichet de préfecture, une zone d'attente et un centre de rétention administrative ? Comment bâtir un plan de réorganisation territoriale des zones de police et des zones de gendarmerie si l'on n'a jamais fait l'effort de comprendre le fonctionnement d'une brigade de gendarmerie en milieu rural ?

La plupart des idées que nous avons mises en œuvre au cours de ces quatre années, je les ai eues en allant sur le terrain, en discutant avec nos services, en rencontrant les Français. C'est en discutant avec les brigades chargées de la répression du proxénétisme que j'ai eu l'idée de créer un délit de racolage. Non pas pour poursuivre les femmes prostituées, qui sont hélas des victimes, mais pour permettre à nos forces de l'ordre de les emmener au commissariat et d'utiliser le temps de leur garde à vue à tenter de les convaincre de dénoncer leurs proxénètes en échange d'un titre de séjour. Depuis 2002, nous avons démantelé 158 réseaux de proxénétisme et mis en cause pour ce motif plus de 3 700 personnes.

C'est en discutant à bâtons rompus avec des femmes policiers que j'ai eu l'idée d'expérimenter la présence de psychologues dans les commissariats, pour pacifier les situations de violence, en particulier entre membres d'une même famille. Ce sont les mêmes femmes policiers qui m'ont alerté sur l'impérieuse nécessité de permettre l'éloignement forcé du domicile du conjoint violent, avant même le résultat de la procédure judiciaire, plutôt que la victime soit obligée de s'enfuir avec ses enfants en quittant tout ce qu'elle a, une situation que de fait nous tolérons depuis des années.

C'est en rencontrant des mères élevant seules leurs enfants ou des jeunes filles vivant dans les cités qui n'avaient ni chambre, ni ordinateur, ni table de travail pour étudier, que j'ai eu, ou plutôt qu'ensemble, nous avons eu l'idée de créer des internats d'excellence, c'est-à-dire des internats situés en ville et permettant à des élèves voulant s'en sortir de travailler dans le calme. C'était en 2003. À l'époque, tout le monde était contre et je fus raillé pour avoir proposé de rétablir des maisons de correction à la campagne ! Aujourd'hui, cette politique est engagée quasiment dans tous les quartiers.

Une partie de notre immobilisme provient du fait que nous attendons d'avoir des solutions parfaites avant de commencer à agir. C'est une posture stérile, car du coup rien ne se fait. Je ne vois pour ma part que des avantages à essayer, à expérimenter, à prendre le pouls du terrain, à renoncer si cela ne marche pas, à améliorer si cela marche bien. Je ne comprends pas la polémique actuelle sur le fait que j'ai proposé successivement deux lois en matière d'immigration. La première a eu des résultats. En quoi est-ce condamnable d'en proposer une seconde, pour améliorer la première sur certains points précis et surtout pour approfondir notre action ? La loi de 2003 sur l'immigration a permis de corriger les failles béantes de notre législation introduites par la loi de 1998. Elle nous a redonné les outils nécessaires à la lutte contre les filières clandestines d'immigration. Ce point étant acquis, la seconde nous permet de passer d'une immigration subie à une immigration choisie, c'est-à-dire une immigration souhaitée reposant sur un juste équilibre entre l'immigration économique, utile aux pays d'origine et aux pays de destination, et l'immigration familiale.

L'exigence de convaincre

Je considère aussi que c'est un devoir d'expliquer ce que nous faisons. Contrairement à ce qu'il est commode et somme toute confortable de dire depuis un bureau parisien, les Français sont conscients de la nécessité des réformes et prêts à s'engager pour l'intérêt général. Mais il faut pour cela avancer des arguments, faire l'effort de convaincre. Il ne faut pas croire que ce fut facile de me rendre à Marcillé-Raoul en Bretagne après le teknival raté des TransMusicales de Rennes de 2002, à Marigny dans la Marne après celui, réussi, du 1er mai 2003, ou sur le Larzac après celui du 15 août de la même année. Chaque fois, je suis allé rendre des comptes, expliquer mes décisions, convaincre qu'il vaut mieux encadrer ces manifestations plutôt que de les laisser se dérouler de manière sauvage au prix de risques majeurs pour la sécurité des riverains et des participants. Chaque fois, j'ai été accueilli avec un mélange de circonspection et de mauvaise humeur, chaque fois j'en suis reparti avec le sentiment d'avoir un peu convaincu et surtout beaucoup atténué les incompréhensions et apaisé le ressentiment. C'est également une question de respect que les responsables politiques doivent aux citoyens.

Aller à la rencontre des Français est exigeant. Je dois toutefois confesser que, dans une vie marquée par des responsabilités aussi lourdes et des contraintes aussi fortes, c'est aussi le principal intérêt du métier et finalement le vrai plaisir. La vie politique offre cette chance de croiser des êtres d'exception, engagés à 200 % dans leur métier, leur passion, leur vie. Je ne peux en citer aucun car il me faudrait les citer tous. J'aime comprendre ce que vivent les gens. J'aime découvrir un nouveau métier, une nouvelle activité. Quand je visite une entreprise, je passe plus de temps à parler avec le personnel qu'à regarder les machines, ce qui déçoit souvent patrons et ingénieurs si fiers de leurs prouesses techniques. Les contacts que j'ai eus avec la grande distribution pendant que je négociais la baisse des prix des biens de grande consommation m'ont passionné. Comprendre comment se négocient les prix. Comprendre comment une grande surface s'organise pour gérer autant de stocks et autant de flux. Comprendre les tendances anciennes et nouvelles de la consommation. C'est un milieu très dur. Mais c'est un secteur qui propose de nombreux emplois aux populations qui vivent dans les quartiers défavorisés et dans lequel de formidables réussites par le mérite et le travail sont encore possibles.

De même, dans un tout autre domaine, les rencontres que j'ai faites à l'occasion de la création du Conseil français du culte musulman m'ont beaucoup marqué. Je connaissais peu la religion musulmane et finalement assez mal les musulmans de France. J'ai découvert des hommes et des femmes divers dans leurs origines et dans leur foi, tolérants et pacifistes, certains très brillants sur le plan professionnel, la plupart modestes car issus de l'immigration récente, d'origine étrangère mais d'esprit profondément français. Finalement, je me sens beaucoup plus proche de quelqu'un comme Ali Berka, président fondateur de la mosquée de Mantes-la-Jolie, ancien ouvrier chez Renault où il a travaillé toute sa vie, de nationalité marocaine mais vivant en France depuis des années, que de nombreux avocats parisiens.

La culture du résultat
Avec l'obsession du terrain, la culture du résultat fut la seconde règle que je nous fixais en prenant la responsabilité du ministère de l'Intérieur. J'exigeai

d'avoir chaque soir un état récapitulatif des statistiques de la délinquance et de l'immigration. Je décidai de les publier chaque mois, afin que nos résultats soient vérifiables et connus de tous. Je créai les réunions « 3+3 » : chaque mois, je recevais les trois préfets dont les résultats étaient les meilleurs et les trois préfets dont les résultats étaient les plus mauvais ; les premiers pour les féliciter, les seconds pour comprendre et les aider à progresser. Dans le domaine de l'immigration, je fixai des objectifs aux préfectures en matière d'exécution des décisions d'éloignement et d'obtention des laissez-passer consulaires.

Cette méthode, soutenue bien sûr par des réformes législatives et structurelles d'ampleur, a produit des résultats. En quatre ans, la délinquance a baissé de près de 9 % alors qu'elle avait progressé de 14,5 % entre 1998 et 2002. Cela représente 300 000 crimes et délits évités chaque année, et près d'un million de victimes épargnées. Le taux d'élucidation a progressé de neuf points quand il avait baissé de trois points au cours de la période précédente. Le nombre de personnes mises en cause a augmenté de près de 30 %. Le nombre de reconduites effectives à la frontière d'étrangers en situation irrégulière a été multiplié par deux. Enfin, en quatre ans, nous sommes passés de 8 000 morts sur les routes de France à moins de 5 000 et avons empêché des milliers de personnes de devenir handicapées.

Au-delà des chiffres, nous avons doté nos services de sécurité des outils nécessaires à une action durable. Le fichier des empreintes digitales est passé de 400 000 références à 2,3 millions, celui des empreintes génétiques de 1 000 à 220 000. C'est un progrès majeur pour incriminer plus de coupables, mais aussi pour disculper des innocents. Dans une démocratie moderne, la preuve technique est nettement préférable aux aveux et aux présomptions. Dans le même esprit, nous avons humanisé les conditions de la garde à vue et installé des caméras sur les véhicules de police. Tout le monde a intérêt à ce que les services de police travaillent dans des conditions sereines, protégés des risques de dérapage et des accusations inutiles. Nous avons créé des groupes d'intervention régionaux, aux compétences multiples et pluridisciplinaires, policières, fiscales, douanières, pour démanteler les réseaux et les bandes, en s'attaquant notamment aux patrimoines et aux signes extérieurs de richesse. Nous avons changé notre approche des violences urbaines. Se contenter de refouler ne me satisfaisait pas. Désormais, nous interpellons. 4 700 personnes ont ainsi été arrêtées pendant la crise de novembre 2005 et ce changement de méthode explique que nous ayons traversé ces événements sans avoir à déplorer de morts, ni du côté des forces de l'ordre ni du côté des délinquants. Nous avons également pris les dispositions nécessaires pour être mieux protégés contre le terrorisme et pour nous débarrasser du hooliganisme. La politique d'immigration a été profondément réformée. La France est désormais un pays ouvert, mais libre de choisir qui elle veut accueillir sur son territoire. Enfin, dans quelques mois, une loi sur la prévention de la délinquance sera votée. Pour la première fois, notre pays sera doté d'une politique globale de prévention.

L'objet de ce livre n'est pas de faire le bilan de mon action comme ministre de l'Intérieur ou des Finances. D'autres enceintes se prêtent à cet exercice. Mon but est de montrer, à travers un exemple, tout ce qu'un ministre peut entreprendre en quelques mois avec de la volonté, de la détermination et de l'imagination. Rien de ce que nous avons fait n'a été facile. Beaucoup ont essayé de nous empêcher d'agir, y compris dans ma famille politique. Rien ne s'est fait en claquant des doigts. Nous avons accumulé des heures et des heures de travail pendant des mois et des mois. Mais au bout du compte, notre action a été profonde, vaste et complémentaire. Il faut dire qu'en ne faisant rien pendant cinq ans, la gauche nous avait laissé un boulevard !

On dit que l'administration est inefficace, éloignée des réalités de terrain, embourbée dans des contraintes administratives multiples, que les hauts fonctionnaires ne respectent pas la volonté des ministres et se neutralisent entre eux. Embourbée dans des contraintes administratives ? C'est une certitude lorsque l'on pense qu'il faut se présenter à un concours administratif pour passer de la direction générale des impôts – chargée du calcul et du recouvrement de certains impôts – à la comptabilité publique – chargée… du contrôle et du recouvrement d'autres impôts ! Mais ce qui manque le plus aux administrations, c'est d'être dirigées. Qu'on leur fixe des objectifs. Qu'on les évalue sur des résultats. Et qu'on en tire des conséquences sur leurs moyens et sur la carrière de leurs directeurs.

Tant au ministère de l'Intérieur qu'à Bercy, j'ai toujours considéré que les directeurs d'administration centrale étaient mes collaborateurs. Je pense qu'il faut réduire la taille des cabinets ministériels pour que les hauts fonctionnaires des ministères soient en contact direct avec les ministres. Je considère également, et pour la même raison, qu'il faut laisser aux ministres le soin de choisir leurs directeurs d'administration centrale. C'est une extravagance française que cette règle qui confie au président de la République la nomination de soixante-dix mille fonctionnaires ! Quant aux cabinets, plutôt que de doublonner systématiquement les directeurs par des collaborateurs plus jeunes et impatients de prendre leur place, il faut y faire venir des profils qu'on ne trouve pas dans l'administration : des chercheurs, des intellectuels, des personnes issues du secteur privé. J'ai d'ailleurs toujours pensé que ce qui compte dans un cabinet ministériel, ce n'est pas le nombre de conseillers, c'est leur qualité et leur courage.

Je préfère celui qui s'engage à celui qui se contente d'être spectateur. C'est pourquoi je n'ai jamais trouvé anormal que des fonctionnaires veuillent se lancer dans la politique. J'ai même toujours veillé à promouvoir les préfets qui ont appartenu à un cabinet ministériel, y compris d'un gouvernement que je ne soutenais pas. À mes yeux, ils ont le mérite d'avoir pris des risques et d'avoir acquis une expérience qu'une carrière exclusivement administrative ne donne pas. Cela m'a conduit à nommer des préfets dits « de gauche » à de hautes responsabilités. Je n'ai pas eu à le regretter. Lorsque l'on revient sur le terrain ou dans l'administration centrale, une expérience en cabinet ministériel est une richesse incontestable.

Je militerais volontiers pour un autre changement de taille. Cela fait trente ans que les meilleurs hauts fonctionnaires quittent le public pour exercer d'importantes responsabilités dans le privé. Il faut inverser cette tendance pour que les nouveaux ministres puissent compter sur des collaborateurs de première qualité bénéficiant de la double culture du public et du privé. Pourquoi ne pas imaginer de proposer au début du prochain quinquennat cent contrats hors catégories de rémunération pour que les plus efficaces du privé reviennent au service du public ? Nous aurions beaucoup à gagner de cette confrontation d'expériences et de cette régénération de la haute fonction publique.

Quitter un endroit ou une réunion en fixant tout de suite la date de la prochaine échéance est une méthode que j'utilise très souvent pour forcer mes équipes à rester mobilisées dans la culture du résultat. C'est une pression salutaire qui oblige à être constamment en recherche d'efficacité. Si à l'été 2002, je n'avais pas annoncé la fermeture de Sangatte avant le 31 décembre suivant, nous y serions encore aujourd'hui. Si je n'avais pas donné quinze jours aux distributeurs et aux industriels pour parvenir à un accord sur la baisse des prix, il n'y aurait jamais eu d'accord. Quand on veut vraiment aboutir, on n'a pas besoin de trois mois ! Après les événements de Perpignan, où des affrontements communautaires ont eu lieu, de La Courneuve, où un petit garçon de onze ans a été victime d'une balle perdue, et dans beaucoup d'autres circonstances encore, je me suis toujours engagé à revenir pour faire le point sur ce que j'avais annoncé et promis. Et je suis toujours revenu, avec des résultats. À La Courneuve, un an après les événements en cause et grâce à l'action du ministère de l'Intérieur, les faits de délinquance élucidés ont augmenté de 44 %, trois grandes écoles (Polytechnique, l'Essec et Supmeca) ont développé des actions de tutorat et de soutien scolaire auprès de jeunes scolarisés dans des établissements du quartier, deux internats scolaires sont en voie de création, 196 jeunes ont trouvé un emploi. De même, si je ne m'étais pas astreint à ponctuer mon activité par des conférences de presse, nous n'aurions pas eu les mêmes résultats car nous n'aurions pas eu la même stimulation. Enfin, pendant des mois, j'ai reçu régulièrement Madame Erignac, la veuve du préfet assassiné en Corse en 1998, pour faire le point sur l'avancement des investigations concernant la recherche d'Yvan Colonna, l'assassin présumé de son mari. Retrouver Colonna était pour moi une priorité à laquelle j'ai consacré, avec nos équipes de police et de gendarmerie, une énergie constante, une détermination sans faille, une méthode qui n'a rien laissé au hasard. Son arrestation fut certainement l'un des moments les plus intenses de ma vie de ministre de l'Intérieur. À mes yeux, sa cavale était une insulte lancée au visage de la République. J'étais à Carpentras quand j'ai pu enfin informer Madame Erignac de la nouvelle. Cette femme admirable put alors commencer son travail de deuil. Il n'était que temps. Elle avait tant souffert.

La diplomatie efficace

À la fin du mois d'août 2002, je décidai d'appliquer la culture du résultat à notre action diplomatique. Cela fit plus de bruit au sein des couloirs feutrés du ministère français des Affaires étrangères qu'au sein du gouvernement roumain.

Nous avions à l'époque de grosses difficultés avec la Roumanie dans le domaine de l'immigration clandestine et dans celui du proxénétisme et de la traite des êtres humains. Je ne voyais pas d'autre solution que de me rendre à Bucarest pour envisager avec les autorités roumaines une action commune. Le projet d'accord que le Quai d'Orsay m'avait préparé ne comportait rien. Aucun engagement côté roumain, aucun engagement côté français. Des grandes déclarations de principe, des mots, des congratulations mutuelles, des témoignages d'amitié, mais rien de concret.

À mon arrivée sur place, je proposai à mon homologue roumain, et surtout au brillant Premier ministre de l'époque, Adrian Nastase, de mettre de côté les mots sans portée et vides de sens et de rédiger une nouvelle déclaration. Ce n'était pas écrit dans le style diplomatique, mais j'obtenais de la Roumanie les engagements suivants : une coopération entre nos services de police pour démanteler les réseaux de proxénétisme et les filières d'immigration clandestine ; une modification de la législation roumaine, pour punir en Roumanie les proxénètes exploitant des réseaux de prostitution en France, en confisquant notamment leur patrimoine ; une assistance à l'identification et au rapatriement des Roumains en situation illégale en France ; la mise en place d'un programme d'accueil et de réinsertion des mineurs isolés que nous serions susceptibles d'interpeller en France et de rapatrier en Roumanie pour qu'ils puissent y retrouver leur famille. La Roumanie obtenait quant à elle de la France le droit de venir chercher elle-même les Roumains en situation illégale chez nous, et la coopération des autorités françaises pour les aider à créer une police des frontières. De la déclaration initiale préparée par les services du ministère des Affaires étrangères, il ne resta rien sauf la date et les signatures.

La diplomatie est un art difficile. Mais à force de ne rien dire, de ne rien demander et ne rien offrir, on peut finir par en désespérer. Deux futurs partenaires au sein de l'Union européenne étaient en droit d'attendre l'un de l'autre des engagements concrets et précis.

S'accorder le temps de la réflexion

Au cours des premiers mois qui ont suivi mon arrivée au ministère de l'Intérieur, je me suis vu reprocher de vouloir aller trop vite, d'en faire trop et au final d'être « trop ». C'est un reproche que j'ai encouru à toutes les étapes de ma carrière, depuis mon plus jeune âge. Trop pressé, trop ambitieux, trop boulimique. Et c'est vrai, j'aime la vie. Je l'aime tellement que j'ai toujours voulu la vivre pleinement, dans le présent. J'ai toujours été étonné par ceux qui me conseillaient « de prendre le temps ». Comme si celui-ci nous appartenait et que l'on pouvait à sa guise le moduler. À la vérité, je n'ai jamais écouté ceux qui me conseillaient d'attendre. À leurs yeux, c'était toujours trop tôt pour moi, avant sans doute qu'il ne soit trop tard ! J'en ai tellement vu qui, à force d'attendre, n'ont rien fait du tout, que leur exemple m'a inspiré de faire exactement le contraire. Je préfère risquer en osant, que regretter de ne pas avoir su saisir l'occasion qui se présentait.

De même, chaque fois que j'ai exercé une responsabilité, qu'elle soit nationale, départementale ou locale, je me suis toujours mis à la tâche à la première minute de la première heure du premier jour et je n'ai relâché mon effort qu'à la dernière. On n'est pas ministre toute sa vie, et j'en ai trop connu, là encore, qui, à l'heure de partir, en étaient encore à réfléchir sur ce qu'il convenait de faire !

Je n'ai pas le sentiment d'en faire « trop », convaincu que les gens imaginent que « ceux d'en haut » n'en font jamais assez. J'aime construire, agir, résoudre les problèmes. J'ai la faiblesse de penser qu'il y a toujours une solution, une possibilité, une marge de manœuvre. Je crois en la volonté et en la détermination. Je ne me résigne pas devant l'échec. J'aime la ténacité. Je renonce rarement, pour tout dire jamais ou presque. Je crois que tout se mérite et qu'au final l'effort est toujours payant. Voilà mes valeurs. Voilà comment je suis fait.

Je travaille dur car, contrairement peut-être à l'idée que l'on se fait de moi, je doute beaucoup. On m'imagine avec des convictions très solides, et l'on a d'une certaine manière raison. Elles sont la conséquence de trente ans de vie politique, ce qui n'est pas rien. Oui, en trente ans de vie publique, j'ai acquis la conviction que pour pouvoir mener une politique équilibrée, il faut d'abord s'assurer l'adhésion de son électorat naturel, le réconforter, le rassurer, puis l'encourager à s'ouvrir. Oui, j'ai la conviction que, dans la profondeur de la société française, il y a une forte demande en faveur de la restauration de certaines valeurs de la droite républicaine : le travail, le respect de l'autorité, la famille, la responsabilité individuelle. Et que ce qui fait perdre la droite depuis des années est qu'elle ne cesse de regretter de ne pas être la gauche. Oui, je suis convaincu qu'aucun pays au monde ne peut se dispenser de faire des efforts et que la France, malgré ses incontestables atouts et son passé prestigieux, deviendra une nostalgie si elle ne prend pas les dispositions nécessaires pour s'adapter aux transformations du monde.

Mais la solidité de mes convictions de fond n'est nullement contradictoire avec le doute qui m'accompagne en permanence. J'essaie de ne jamais considérer comme acquise une certitude, une idée reçue, une vérité d'évidence. J'ai besoin de beaucoup de temps pour comprendre et analyser une situation. J'écris mes discours à la main, et souvent de façon aussi besogneuse que méticuleuse. Je reçois de multiples et très divers interlocuteurs pour m'assurer de connaître tous les « angles » d'une question difficile. Je ne suis guère impressionné par les habitudes, les conventions, les raisonnements tout faits. Je préfère douter beaucoup avant de décider que d'hésiter constamment une fois la décision prise. Le doute est une modalité du jugement, l'hésitation une errance qui ne mène nulle part.

Ainsi, j'ai longuement mûri ma décision de quitter le gouvernement pour prendre la présidence de l'UMP alors que j'étais ministre des Finances. Le président de la République m'avait imposé le choix de partir ou de renoncer à la présidence du parti. La règle était singulière, édictée pour moi et pour la seule circonstance. C'était un déchirement de quitter l'action concrète à Bercy pour l'animation de ma famille politique. J'ai douté durant de longues semaines. Mon entourage était lui-même divisé sur la question. Et puis au final, l'évidence s'est imposée. Il fallait conquérir l'organisation qui serait décisive dans la prochaine élection présidentielle.

J'ai également longuement réfléchi avant de revenir au gouvernement. On a dit que j'avais accepté de reprendre le ministère de l'Intérieur pour me protéger contre les affaires que l'on fomentait contre moi. Des affaires hélas, il y en a eu. J'y reviendrai. Mais ce n'est pas la raison de mon retour. J'ai essayé de comprendre ce que les Français attendaient de moi. Ce n'était pas que j'entre en campagne deux ans avant l'échéance ; c'était que je me remette au travail sans tarder au service de leur sécurité. Pour le coup, tous mes amis étaient contre, craignant que je ne sois entraîné dans les turbulences inhérentes à toute action gouvernementale. Je leur ai fait valoir que c'était ma vie, que c'est moi qui « en paierais le prix » en termes d'heures de travail, de stress, de pression. Que j'y avais plus réfléchi qu'aucun autre et que je le sentais ainsi. Édouard Balladur, Pierre Méhaignerie et même le président Giscard d'Estaing, toutes personnalités pour lesquelles j'éprouve amitié, attachement et respect, crurent jusqu'à la dernière minute pouvoir me faire renoncer. Mais, convaincu que j'étais d'avoir consacré le temps nécessaire à la réflexion, mes doutes avaient disparu. J'étais certain qu'il fallait revenir. Sous peine d'être réduit au seul ministère de la parole. Les limites de la stratégie de François Bayrou achevèrent de me convaincre que je n'y aurais guère été à l'aise !

En fait, j'ai besoin de temps pour mûrir une décision. On me dit instinctif, je suis organisé. Je peux me tromper. Je me suis trompé. Mais les décisions que je prends tiennent rarement du hasard. Je les ai toujours préparées, en y réfléchissant longuement. J'essaie d'organiser une stratégie et de m'y tenir. La période du doute est celle de l'organisation. Je ne m'en excuse ni ne le revendique. C'est juste ainsi.

Un engagement total

Avoir la confiance des électeurs, disposer, en étant ministre, des outils du changement, vivre une existence passionnante, servir son pays, et rien moins que la France, est une chance, un honneur et sans doute même un privilège. Je n'ai jamais compris que l'on puisse se plaindre de faire de la politique. Après tout, nul n'y est contraint. Il y a suffisamment de prétendants pour que ceux qui trouvent la vie politique trop difficile cèdent la place à ceux qui désirent si ardemment la prendre. Et au-delà des épreuves et des déceptions, je suis bien conscient que je réalise, jour après jour, le rêve de mes vingt ans : construire. On rêve adolescent de ce que sera sa vie. Devenu adulte, on essaie de transformer ses rêves en réalité. L'adéquation entre les rêves d'hier et la vie d'aujourd'hui doit permettre d'approcher le bonheur.

Cet accomplissement personnel n'est cependant pas exempt d'efforts, de sacrifices, de peines. C'est le sort de tous ceux qui cherchent à aller au bout de leur passion. Rien de précieux ne s'obtient sans l'implication de tout son être et cet engagement a un prix. C'est lui qui permet à l'ambition de devenir légitime. C'est lui qui lui donne sa noblesse.

La politique m'a conduit à faire des choix douloureux, même si j'essaie de concilier au mieux cette aspiration avec les besoins et les attentes de ceux qui me sont les plus chers. Être au plus haut niveau exige un engagement total, permanent, dévorant. Le prix à payer est élevé pour sa famille comme pour soi-même. De l'extérieur, on ne l'imagine guère. Au fur et à mesure des années, j'ai pu mesurer combien tout cela finissait par devenir lourd et pesant.

C.

Je me suis beaucoup interrogé avant d'écrire ces quelques lignes. N'allais-je pas relancer la polémique ? Prêter le flanc à la critique qui m'a tant reproché d'avoir exposé ma famille ? Ma famille elle-même n'allait-elle pas en souffrir à nouveau ? Toutes ces questions m'ont longtemps tourné dans la tête. En définitive, si j'ai décidé de parler, c'est que d'autres l'avaient fait et risquaient de continuer à le faire. Alors qu'au moins le principal intéressé puisse donner son opinion... Ce n'est pas illégitime après tout. J'espère clore un débat que j'ai subi, qui m'a blessé et dont je crois avoir tiré les leçons. Enfin, puisque je recommande l'authenticité dans le débat public, il m'a semblé plus honnête de commencer par me l'appliquer !

Ce que nous avons connu dans ma famille, des millions de gens l'ont vécu. Leurs souffrances, leurs doutes, leurs espérances sont les mêmes que les nôtres. Ce sont les histoires éternelles d'un homme et d'une femme. De la difficulté de la vie à deux. De la force de l'amour. La seule chose qui est différente pour nous, c'est la pression de la vie publique. de la notoriété, de la publicité. Tout est complexe entre un homme et une femme, mais quand tout est public alors les petits événements de la vie quotidienne deviennent des monuments. Pour les affronter, il faut une énergie dont je ne m'imaginais pas capable ! C'est le prix le plus lourd à payer à la vie politique moderne. Je dis « moderne » non pas au sens de « modernité ». Je m'en serais bien passé. Je dis « moderne » au sens de « de nos jours ». Cette évolution vers la transparence de la vie privée, inimaginable il y a seulement dix ans, est devenue inéluctable aujourd'hui. Alors autant affronter le problème de face et ne pas chercher à biaiser.

C. J'écris C. car encore aujourd'hui, près de vingt années après notre première rencontre, prononcer son prénom m'émeut. C., c'est Cécilia. Cécilia est ma femme. Elle est une partie de moi. Quelles que soient les épreuves que notre couple a traversées, pas une journée ne s'est déroulée sans que nous nous soyons parlé. C'est ainsi ! Nous n'avons voulu trahir personne, mais nous ne pouvons, ni ne savons nous éloigner l'un de l'autre. Ce n'est pas faute d'avoir essayé… Mais impossible ! Se parler, s'écouter, s'entendre, se voir sont des fonctions dont nous avons enfin pris conscience qu'elles étaient entre nous et pour nous vitales.

On m'a beaucoup reproché d'avoir voulu mettre en scène mon couple. Je comprends ce reproche et je ne veux en rien minimiser mes responsabilités. Mais je souhaite faire comprendre que rien ne fut mis en scène puisque tout était sincère et vrai. Notre vie était faite l'un avec l'autre. L'un pour l'autre. Me montrer dans ma vie publique, c'était montrer ma vie privée puisqu'elles ne faisaient qu'un. Rien, absolument rien n'était truqué.

Quand j'ai pris conscience d'avoir trop exposé Cécilia, le mal était fait : trop de pression, trop d'attaques, pas assez d'attention de ma part. Sur le moment, notre couple n'y a pas résisté. Et alors, ce fut le déchaînement. Tout y passa… et le reste. Même aujourd'hui, j'ai du mal à en parler. Jamais je n'avais connu une telle épreuve. Jamais je n'aurais imaginé en être aussi profondément bouleversé. Dans cet ouragan, je trouvai deux consolations. Cécilia d'abord, qui en souffrit autant, mais qui toujours crut en notre avenir, aussi étrange que cela puisse paraître. Et puis ces multiples témoignages d'inconnus qui nous confiaient avoir fréquenté les mêmes précipices. On reproche souvent aux hommes politiques de ne pas connaître la « vraie vie ». Eh bien je puis dire maintenant que je m'y suis frotté ! Peut-être même cela m'a-t-il obligé à sortir de moi cette part d'humanité qui sans doute me faisait défaut. Une telle épreuve n'est en rien une affaire d'orgueil ou de jalousie. C'est plus profondément ou plus simplement de l'amour qu'il s'agit. L'épreuve, c'est l'absence, pas la blessure de vanité.

Aujourd'hui Cécilia et moi nous sommes retrouvés pour de bon, pour de vrai, sans doute pour toujours. Si j'en parle, c'est parce que Cécilia m'a demandé d'en parler pour nous deux. Elle a voulu que je sois son porte-parole. Elle aurait pourtant pu le dire mieux que moi, mais dans sa demande, j'ai reconnu sa pudeur et sa fragilité, peut-être aussi sa confiance en son mari…

Nous n'en parlerons plus désormais car, même si j'en dis peu, j'espère que le lecteur comprendra que c'est beaucoup, tant C. est importante à mes yeux.

J'espère surtout qu'au-delà de la notoriété, chacun voudra bien comprendre et accepter que notre histoire soit simplement celle d'une femme, d'un homme, d'une famille, qui ne renient pas leurs erreurs, mais qui demandent à être respectés pour continuer sereinement sur le chemin d'une vie dont nous savons maintenant qu'elle n'est simple pour personne. Une vie où, comme tout un chacun, nous avons besoin d'amour. Je le sais aujourd'hui si précieux qu'il doit être protégé. Le passé nous servira de leçon pour toujours.

Chapitre II

Le pouvoir existe encore

Je ne suis pas de ceux qui pensent que le pouvoir n'existe plus, qu'il est devenu inutile, impuissant, inexistant ou plus simplement qu'il serait ailleurs. Comprenez à l'extérieur de la politique. Autrement dit, et c'est ce que j'ai voulu démontrer en m'engageant pleinement dans mon activité de ministre de l'Intérieur, puis de ministre de l'Économie et des Finances, à mes yeux il n'y a pas de fatalité. Les marges de manœuvre, même faibles, sont bien réelles. Il est plus que jamais possible en même temps que nécessaire d'agir.

Bien sûr, le contexte évolue. Le pouvoir ne s'exerce plus aujourd'hui comme il s'exerçait autrefois. La communication est devenue un élément déterminant, moins d'ailleurs à cause du développement des médias que du fait de la transformation de la société. Les citoyens, les Français comme les ressortissants des autres démocraties, sont mieux formés et donc plus exigeants. Entre deux échéances électorales, ils ne se fient plus les yeux fermés à telle ou telle majorité. Ils veulent connaître et comprendre au jour le jour les intentions des gouvernants. Il est impossible à notre époque d'agir sans informer, expliquer, communiquer, chercher à convaincre.

Mieux même, il y a trente ans, on agissait, puis on expliquait. Aujourd'hui, c'est l'inverse : parce que l'on a bien expliqué, « l'opinion publique » vous autorise l'action. La communication est devenue le préalable à l'action. Elle en est la première étape. On ne peut plus distinguer le fond et la forme. Ils constituent un tout indissociable.

Si cette première étape n'est pas franchie, l'action devient impossible. Peu de temps après mon arrivée au ministère de l'Intérieur en 2002, le journal *Le Monde* avait titré, au moment de mon projet de loi sur la sécurité intérieure, « Sarkozy fait la guerre aux pauvres ». Eux aussi avaient choisi le terrain de la communication… J'ai combattu pied à pied. Je n'ai pas voulu m'excuser, me laisser impressionner, dominer par ce raccourci destiné à m'empêcher d'agir et que je trouvais insultant pour ces millions de personnes qui ont de grandes difficultés sociales, mais qui ne sont pas des délinquants pour autant. Et c'est en gagnant cette première bataille médiatique que j'ai pu mettre en œuvre une nouvelle politique de sécurité pour les Français.

De même, il est exact que la construction européenne, et plus globalement l'ensemble de nos obligations internationales, limitent les marges de manœuvre du pouvoir national. Certaines réformes sont impossibles si nous n'avons pas l'accord de nos partenaires ou des institutions communautaires. La mondialisation économique soumet en permanence les décisions étatiques aux fourches caudines de la mobilité des facteurs de production, en particulier des capitaux, tandis que la circulation de plus en plus facile des idées, de l'information, des personnes et des biens, crée de nouvelles problématiques telles que la pression migratoire, la détérioration de l'environnement, le terrorisme.

Pour autant, la capacité d'action des responsables politiques demeure et il faut cesser de s'abriter derrière de tels motifs pour justifier l'inaction. La mondialisation, l'Europe, nos engagements internationaux ne disqualifient nullement l'action politique. Ils posent seulement de nouvelles contraintes. À nous d'inventer l'action qui va avec ! Croit-on que c'était plus facile au moment de la première guerre mondiale, de la crise de 1929, de la défaite de 1940, de la reconstruction ou de la décolonisation ?

Les acteurs de la vie politique doivent s'adapter aux nouvelles contraintes, aux nouveaux leviers d'action, et dégager les marges de manœuvre là où elles doivent l'être. Les conditions d'exercice du pouvoir changent, pas son but, qui est d'agir. La première mission d'un homme politique reste de redonner espoir en démontrant qu'il est possible de peser sur le cours des événements. Ainsi, l'impossible devient envisageable et l'inéluctable pas vraiment certain. Il est trop commode d'affirmer qu'on ne peut plus rien sur rien, tout en se présentant aux élections… pour exercer une responsabilité qui n'existerait plus !

Je veux également relever que beaucoup des problèmes actuels de la France et de la société française n'ont rien à voir avec la construction européenne ou avec la mondialisation. C'était le cas de l'explosion de l'insécurité et de la délinquance entre 1997 et 2002. C'est le cas de la situation des banlieues que nous avons laissées depuis des années s'enfoncer à la fois dans la désespérance et dans le non-droit. C'est le cas de l'Éducation nationale. Après les succès incontestables de la massification et de la démocratisation de l'enseignement dans les années 1970, l'école est aujourd'hui en panne devant l'échec de nombreux enfants et la montée des inégalités scolaires. Sur tous ces sujets, ni l'Europe, ni la mondialisation ne nous empêche d'agir. Il en est de même avec notre justice, trop clémente avec les délinquants, trop dure avec les innocents, trop distante avec les victimes ; avec notre recherche, qui perd jour après jour du terrain ; avec notre système de santé, de plus en plus coûteux, ce qui est inévitable, mais pas capable pour autant de bien prendre en charge une situation aussi fréquente que la dépendance ou des drames aussi lourds que le cancer. Il n'est pas rare de devoir attendre plusieurs semaines avant d'être traité et soulagé des souffrances infligées par cette terrible maladie. Est-ce acceptable dans un pays riche comme le nôtre et qui dépense autant pour sa santé ? Je pourrais multiplier les exemples de ces lenteurs ou de ces dysfonctionnements de la société française qu'aucune contrainte internationale ne nous empêche de changer.

La baisse des prix, l'exemple d'une action juste et possible

Lorsque j'ai décidé, en avril 2004, de négocier avec les industriels et les distributeurs une baisse des prix dans la grande distribution, j'ai été soumis à de très fortes pressions de la part des milieux économiques. On m'a expliqué que le cours de Bourse de Carrefour, 45 000 salariés en France, deuxième groupe mondial du secteur, l'une de nos plus grandes entreprises au plan international, allait s'effondrer, faisant de Carrefour une proie pour Wall Mart, le leader mondial, aux méthodes sociales brutales et inacceptables. Les mêmes prétendaient que la baisse des prix risquait de fragiliser de nombreuses entreprises de l'industrie agroalimentaire. Industriels et distributeurs, d'habitude si prompts à se disputer, se soutenaient pour ne rien changer. Un distributeur, dont je tairai le nom bien que je le connaisse, diffusa auprès des élus, des journalistes, des faiseurs d'opinion, « une note blanche » dont le but était de démontrer, à partir de l'exemple des Pays-Bas qui n'avait strictement rien à voir, qu'une baisse de 1 % des prix aboutissait à la suppression de milliers d'emplois.

Une « note blanche » est une note dont l'auteur ne veut pas dire son nom. Lorsque je suis devenu ministre de l'Intérieur en 2002, l'une de mes premières décisions a été de supprimer les « notes blanches » des Renseignements généraux et d'exiger que chaque note soit signée de son auteur. Nous ne sommes plus en 1940 ; dans notre pays la parole est libre ; celui qui a des choses à dire doit avoir le courage de les assumer.

À eux seuls, ces deux risques auraient tétanisé plus d'un ministre. Mais le pire était le point de vue de la technostructure de Bercy. Elle considérait en effet qu'il ne servirait à rien de faire pression. À ses yeux, cela faisait bien longtemps que le ministre des Finances n'avait plus de pouvoir, au moins en matière de formation des prix.

Ce n'était pas mon avis. Je n'avais certes aucun pouvoir juridique pour faire baisser les prix. Mais j'étais certain qu'en m'appuyant sur l'opinion publique, donc sur les consommateurs, mes inter-locuteurs ne pourraient me dire non. Depuis le passage à l'euro, nos indices d'inflation sous-estiment l'augmentation des prix. On a voulu faire avec les prix ce que l'on a fait avec l'insécurité : distinguer l'augmentation des prix du sentiment de l'augmentation des prix ! Les Français ne s'y sont pas trompés. Agir était donc indispensable : c'était juste pour les consommateurs et utile pour l'économie, car profitable à la consommation et finalement aux producteurs comme aux distributeurs. De fait, grâce à cette action, les prix des produits de consommation n'ont cessé de baisser depuis septembre 2004, bien au-delà des 2 % prévus à l'origine par l'accord. Carrefour n'a pas été racheté par Wall Mart. Aucune entreprise de l'agroalimentaire n'a fait faillite et la loi stupide votée en 1996, qui avait rendu possible cette dérive inflationniste, a commencé d'être modifiée dans un sens conforme aux intérêts des consommateurs. Dieu sait pourtant que j'étais bien seul au démarrage.

On a raconté que, lors de cette fameuse nuit de juin 2004 au cours de laquelle nous sommes parvenus à un accord, j'avais menacé de grands groupes industriels de me répandre à la télévision sur leurs pratiques tarifaires s'ils ne signaient pas l'accord. C'est vrai et c'est exactement ainsi que je devais faire. Le ministre des Finances est le ministre de tous les Français, pas celui de quelques entreprises. De quel droit aurais-je laissé quelques grands groupes industriels ou de la distribution continuer de s'enrichir indûment sur le dos des Français ?

Ce n'est pas l'absence de pouvoir qui discrédite la politique et délégitime ses acteurs. C'est le fait qu'ils n'exercent pas celui dont ils disposent. Voici bien la clef du problème : une forme de démission de la volonté politique qui se dédouble en appauvrissement de l'imagination. La nature ayant horreur du vide, plus cette situation dure, plus les forces non politiques prendront l'avantage.

Il est de bon ton aujourd'hui de critiquer les bénéfices mirobolants de quelques entreprises du CAC 40. Plutôt que de passer notre temps à dénoncer les unes et les autres dans de grands discours sans portée pratique, regardons les choses dans le détail. Si ces bénéfices sont indus, comme c'était le cas pour les biens de grande consommation, agissons et réformons. S'ils ne le sont pas, réjouissons-nous du succès de nos entreprises.

En faisant baisser les prix des biens de consommation courante, j'ai démontré que le ministre des Finances pouvait encore influer sur la vie quotidienne des Français. C'était également une façon de sortir du piège que représentait Bercy pour moi si je m'éloignais des dossiers nationaux concrets au profit des grands symposiums internationaux si théoriques. Nombre de mes amis pensaient que je n'aurais pas dû accepter la responsabilité des Finances. Que je courais le risque de me couper des préoccupations quotidiennes des Français qui avaient fait ma spécificité depuis 2002. J'ai rapidement écarté ces craintes, qui alimentaient d'ailleurs, au moment de ma nomination, autant d'arrière-pensées que de sentiments sincères et amicaux. Car selon moi, quel que soit le ministère, les possibilités d'action existent. Partout où l'on exerce des responsabilités, on peut et on doit appliquer les mêmes principes avec la même volonté. Les problèmes changent, mais la problématique reste la même : convaincre les Français et, par l'action, rendre l'espoir.

S'inspirer des réussites des autres

Soumis aux mêmes contraintes que nous, nos partenaires ont réussi à s'adapter sans rien perdre de ce qui faisait leur identité et même en vivant plutôt mieux. C'est un exemple qu'il nous faut méditer. Le cas le plus spectaculaire à mes yeux est celui de la Grande-Bretagne qui semblait, souvenons-nous en, un pays totalement dépassé à la fin des années 1970, avec un produit intérieur brut inférieur de 25 % à celui de la France. Un pays qui se pensait condamné au chômage et aux restructurations industrielles, voire à la disparition de son industrie. Se demande-t-on pourquoi les Anglais rachètent nos maisons en Dordogne, dans le Périgord, dans le Lubéron, en Savoie, et dans bien d'autres régions encore ? Tout simplement parce que le produit intérieur brut de la Grande-Bretagne est aujourd'hui supérieur de 10 % à celui de la France et que le niveau de vie des Britanniques est plus élevé que celui des Français. Je n'ai rien contre les Anglais, qui sont nos amis, mais mon ambition n'est pas que les plus beaux villages de France deviennent des villégiatures réservées aux Britanniques !

Plus grave encore, Londres serait devenue la septième ville de France. Elle aspire jusqu'à plus soif des milliers de jeunes Français qui s'y installent, dont notre propre fille. Comme s'il était plus facile de réussir là-bas que chez nous. Ou pire, comme si la réussite était devenue si honteuse chez nous qu'un jeune désireux de s'élever serait contraint de partir. Je n'accepte pas cette vision réductrice de ce que serait devenue la France. Je ne me résigne pas à voir la partie la plus dynamique et la plus volontaire de notre société, sa jeunesse, quitter le sol national. Un million de Français sont partis vivre à l'étranger au cours des dernières années, une saignée presque équivalente en valeur absolue à la guerre de 14-18 (1,3 million de morts français).

Les pays scandinaves sont également illustratifs. Véritables contre-exemples à la fin des années 1970 et même 1980, avec leur niveau exorbitant de prélèvements obligatoires et leur dette publique insoutenable, nous ne cessons aujourd'hui d'admirer leurs résultats : le Danemark, pour son modèle de « flexisécurité » qui concilie la flexibilité du marché du travail et la sécurité de l'emploi ; la Finlande, pour son modèle éducatif (premier pays de l'OCDE dans le classement PISA – *Program for International Student Assessment* – des systèmes éducatifs) ; la Suède, pour ses dépenses de recherche et développement (deuxième rang mondial), la place des femmes, son modèle d'administration, sa politique environnementale, le rôle du sport.

Ces succès ne sont pas directement reproductibles chez nous, mais leur accumulation doit nous faire réfléchir. Ils ne sont pas nés du hasard. Ils sont le fruit de décisions politiques internes qui montrent que les États ont encore des possibilités d'action. En bref, ce que les autres ont su réussir, pourquoi devrions-nous nous l'interdire ? En quoi affaiblirions-nous notre identité en l'enrichissant des réussites des autres ?

Dans l'internationalisation des économies, dans l'interdépendance croissante entre nos différents États, je ne vois pas une raison de ne pas agir, mais une incitation à innover. Je crois profondément nécessaire l'ouverture de la vie politique française aux expériences venues d'ailleurs. Notre débat public n'est pas assez irrigué par ce que font les autres : leurs succès, leurs initiatives, leurs échecs. Je me suis souvent demandé d'où venait notre propension à essayer tout ce qui ne marche pas et à nous effrayer de tout ce qui réussit chez les autres ! Nous aurions pourtant tant à apprendre des Danois, des Espagnols, des Anglais, des Allemands et même... des Américains !

Faire référence aux politiques menées dans d'autres pays, ce n'est pas imposer un modèle qui nous serait étranger. « Sarko l'Américain », sous-entendu celui qui veut transformer le modèle social français en modèle social anglo-saxon : voilà un raccourci dont la vie politique française a le secret, destiné à empêcher de réfléchir et d'agir, oserais-je même dire un raccourci destiné à tuer ! Et de mettre dans un grand sac tout ce qui peut me faire passer pour un suppôt des inégalités et des excès des États-Unis d'Amérique : le libéralisme, mon point de vue sur la discrimination positive, mes propositions institutionnelles, mon ouvrage sur les religions, dont on prend bien soin d'oublier le premier mot du titre, « la République »...

Si je n'avais d'yeux que pour le modèle américain, je vivrais aux États-Unis. Ce n'est pas le cas. J'apprécie la mobilité sociale de la société américaine. On peut partir de rien et avoir une réussite exceptionnelle. On peut échouer et avoir droit à une deuxième chance. Le mérite y est récompensé. Il y a moins de codes sociaux qu'en France. On ne vous juge pas immédiatement à votre manière de dire bonjour ou à la consonance de votre nom. Je n'ai en revanche aucune inclination pour le modèle social américain. La protection sociale y est insuffisante et inégalitaire. Je n'accepte pas qu'on puisse être moins bien soigné, voire pas soigné du tout, parce qu'on est pauvre ; qu'on puisse vivre dans la crainte permanente d'être malade parce qu'on n'a pas de protection sociale. Quant à la discrimination positive, parlons-en ! Les Américains ont eu la volonté de s'attaquer à la question de l'exclusion de certaines minorités, en particulier la population noire, par une politique dite de « discrimination positive ». En France, on a voulu caricaturer cette politique en la réduisant aux quotas dans les universités. Ce faisant, on oubliait, d'une part, que la première forme de discrimination positive a été la réservation de marchés publics aux entreprises dont le personnel reflétait une certaine diversité, d'autre part, que les quotas ont été condamnés par la Cour suprême américaine en 1978 et ensuite cantonnés à des hypothèses très limitées. Bien loin de se réduire à une simple question de quotas, la discrimination positive américaine fut une prise de conscience, un élan, une volonté politique, une société dont les yeux se sont soudain dessillés et qui a décidé d'agir pour que l'égalité entre les individus ne soit pas seulement formelle, mais réelle, et pour que la diversité de la société américaine soit présente dans tous les secteurs et à tous les niveaux de la vie économique, politique et sociale. D'ailleurs, la bonne traduction de l'expression *affirmative action* est action volontariste.

Cette politique n'a pas tout résolu, loin de là. Mais il existe aujourd'hui une bourgeoisie noire, une bourgeoisie hispanique, une bourgeoisie asiatique… Dans tous les domaines de la vie politique, économique, sociale, médiatique, scientifique américaine, de grandes figures issues de toutes les minorités ont pu émerger. Elles ne sont ni des exceptions, ni des alibis : Condoleezza Rice, Colin Powell, Clarence Thomas, juge à la Cour suprême, Kenneth Chenault, PDG d'American Express, Richard D. Parsons, PDG de Time Warner, Stan O'Neal, PDG de Merrill Lynch, Zalmay M. Khalilzad, ambassadeur américain en Irak, Fareed Zakaria, un des intellectuels les plus reconnus et médiatisés en matière de politique étrangère, Carlos Gutierrez et Alberto Gonzales, respectivement ministre du Commerce et de la Justice, et tant d'autres encore. Qu'on le veuille ou non, ce n'est pas encore le cas en France, dans aucune de nos minorités issues de l'immigration récente.

La discrimination positive américaine est une expérience qui peut nous inspirer. Est-ce que cela passe par des quotas ? Pas forcément. Elle est surtout une volonté politique qui doit nous réveiller. La France a un immense problème avec l'insertion sociale de ses jeunes issus de l'immigration, un problème qui la mine depuis des années, un problème qui l'empêche de se consacrer à d'autres enjeux, un problème qu'elle peut régler si elle se mobilise énergiquement dans tous les domaines.

En 1598, grâce à l'Édit de Nantes, Henri IV a mis fin à près de quarante ans de guerres de religion barbares, épuisantes, et garanti la paix civile pendant presque cent ans. L'Édit de Nantes ne comportait pas que des mots. Il accordait des droits concrets, spectaculaires pour l'époque : la liberté de conscience, l'égalité civile, la possibilité pour les protestants, entre 5 et 10 % de la population à l'époque, d'accéder sans distinction et sans discrimination aux dignités, aux offices, aux charges publiques, le droit de fréquenter l'école, l'université, les hospices. Il accordait même le droit pour les protestants d'être jugés par des tribunaux spéciaux comportant des magistrats protestants et leur réservait cent cinquante places fortes, c'est-à-dire des châteaux et des villes fortifiées susceptibles de les protéger et entretenus par le Trésor royal. En 1791, la Révolution française émancipait pour sa part les juifs de France, les reconnaissait comme citoyens français, leur donnait la possibilité de s'intégrer dans la vie économique et sociale de notre pays, une politique amorcée par Louis XVI et confirmée par l'Empire, qui a fait des juifs de notre pays les plus fervents défenseurs du modèle français d'intégration.

À chaque époque, ses solutions, mais ses solutions fortes, volontaires, déterminées. S'intéresser à la discrimination positive américaine, ce n'est renier ni notre histoire ni notre modèle d'intégration. Ce n'est vouloir ni le communautarisme ni la segmentation urbaine à l'américaine. C'est chercher des solutions pragmatiques à un problème brûlant de la société française. C'est appeler à une prise de conscience. C'est convaincre qu'il y a beaucoup plus de risques à rester retranchés derrière nos beaux principes qu'à faire un effort pour accélérer le processus d'insertion de ceux qui n'ont pas la même couleur de peau que la majorité. Cet effort doit d'ailleurs être temporaire. La légitimité d'un effort particulier, supplémentaire de la République envers telle ou telle catégorie de personnes ou de territoires, c'est de rétablir un équilibre. Une fois ceci effectué, l'effort supplémentaire doit cesser. Ce qui porte le plus atteinte au modèle français d'intégration, ce n'est pas de permettre aux jeunes Maghrébins et Noirs de devenir avocats, polytechniciens, journalistes, banquiers, chefs d'entreprise ou ministres, c'est de tolérer plus longtemps que le major d'une promotion de DESS soit encore au chômage au bout d'un an, parce qu'il est noir ou beur, quand tous ses camarades ont trouvé un emploi.

Les Français veulent être français, ne peuvent qu'être français. Reproduire un modèle étranger n'aurait aucun sens, aucune chance de réussite. C'est dans ses racines profondes que la France doit puiser son énergie pour réussir, pas dans la pâle imitation de modèles venus d'ailleurs. C'est dans ses vertus vigou-

reuses, celles qui ont forgé son caractère et son identité, que la France doit trouver la force de dépasser
ses blocages pour inventer sa manière d'entrer dans
le nouveau millénaire, sans rien renier de ce qu'elle
est, mais sans rien craindre non plus de l'avenir.

Les Français sont attachés à leurs valeurs, et ils
ont raison car elles ont inspiré le monde. J'aimerais
qu'ils soient confiants dans l'avenir de notre pays. La
France n'est pas une nostalgie. Elle peut redevenir
un exemple. Cela demandera certainement un travail
sur nous-mêmes, une sorte de mise à jour de nos
valeurs qui ne sont pas toujours ce que nous croyons.
Car pour être un exemple, encore faut-il être exemplaire ! Notre modèle social ne l'est plus, notre
système d'intégration pas davantage, notre organisation économique encore moins. Nous confondons
égalité et égalitarisme ; solidarité et assistanat ; justice
et nivellement ; patriotisme et nationalisme... La
France doit redevenir la patrie du travail, du mérite,
de la responsabilité, de la fraternité. Le pays où la
promotion sociale est possible, encouragée, voulue
pour tous ceux qui la méritent par leurs efforts.

Avec l'Europe, agir autrement

Pendant des années, nous avons expliqué aux
Français que si l'on ne pouvait rien faire, si l'on ne
pouvait rien changer, c'était à cause de l'Europe.
Comme Lionel Jospin avec son projet qui n'était pas

socialiste, les électeurs nous ont parfaitement entendus et ils ont voté contre le projet de Constitution européenne lors du référendum de 2005. L'Europe ne vient pas du ciel, elle est constituée d'États. C'est aux États d'agir s'ils veulent que l'Union européenne fonctionne différemment.

C'est ce que j'ai essayé de faire dans le domaine de l'immigration et de la sécurité. Les questions de sécurité, d'asile et d'immigration relèvent de plus en plus de l'échelon communautaire. C'est d'abord une réalité juridique, un choix des États membres. C'est surtout une nécessité absolue. La suppression des frontières intérieures facilite considérablement la circulation de la criminalité organisée sur le territoire européen. Une commission rogatoire internationale, je suis bien placé pour le savoir, met plusieurs mois pour revenir d'Italie alors que des terroristes peuvent traverser tout le territoire européen en 72 heures. Seuls l'harmonisation de nos procédures policières et judiciaires et le rapprochement de nos services de police peuvent compenser cette facilité. Tout étranger qui entre dans un pays membre de l'Union entre par ailleurs *de facto* dans l'ensemble des pays qui ont supprimé leurs frontières intérieures. Si chaque pays a sa propre politique migratoire, les uns restrictives, les autres souples, cela n'a aucun sens. Enfin, l'Europe est la seule en mesure de mettre en œuvre une politique d'aide au développement à la hauteur des besoins des pays d'origine. Tout devrait donc pousser les pays européens à agir de concert.

Ce n'est malheureusement pas le cas. En 2002, la politique européenne en matière d'immigration et de sécurité relevait, et relève encore en grande partie, de la règle de l'unanimité, c'est-à-dire que les pays de l'Union européenne doivent tous donner leur accord pour toute action commune ou évolution de la législation communautaire en ces domaines. Cette règle de l'unanimité est incompatible avec un fonctionnement efficace de l'Union. Non seulement il est exceptionnel que les 25 se mettent d'accord sur tout, mais pire encore, la contrainte de l'unanimité bloque dès le départ les négociations. Avec un tel système, aucun pays n'a intérêt à commencer la moindre discussion car il sait que, de toute façon, on ne pourra rien lui imposer à la fin. La meilleure manière de ne jamais obtenir de compromis, c'est de dire qu'aucun compromis n'est nécessaire.

Voici comment une règle, celle de l'unanimité, censée protéger les intérêts vitaux de chaque État membre de l'Union européenne, est devenue au fil des années la source de blocages persistants, condamnant l'Europe à un immobilisme qui exaspère les Européens et les éloigne d'une cause pourtant essentielle. Seule la règle de la majorité pourrait venir à bout de la lenteur d'un processus de décision incompatible avec la rapidité de réaction qu'exige toute politique de sécurité. Liberté doit être laissée aux pays qui ne veulent pas avancer de conserver leur législation. Mais que les pays voulant aller moins vite n'interdisent pas aux autres d'avancer plus hardiment ! Le passage de 15 à 25 États membres a aggravé cette situation.

Alors que la sécurité et l'immigration étaient les deux politiques phares de mon portefeuille ministériel, j'ai rapidement compris que l'action à 25 serait impossible ou très difficile. Les États membres ne font pas face aux mêmes difficultés. Un pays comme Chypre reçoit autant de personnes en situation illégale par an que l'Espagne chaque jour ! Les pays peu concernés par l'immigration, notamment au Nord de l'Europe, font prévaloir des principes généreux, par exemple en matière de mariage ou de regroupement familial, que les nations confrontées à la pression migratoire ne peuvent assumer dans la pratique.

Face à cette situation bloquée, j'aurais pu rester les bras ballants. Je serais venu dire aux Français à la télévision : « Je n'y peux rien, l'Europe m'empêche d'agir. » Nombre de mes prédécesseurs ne s'en sont pas privés. Tel ne fut pas mon choix. Au contraire, en novembre 2002, lors du sommet franco-espagnol de Malaga, je proposai aux autorités espagnoles de constituer un groupe des cinq grands pays de l'Union européenne (Allemagne, Grande-Bretagne,

Italie, Espagne et France) pour impulser une politique européenne beaucoup plus ambitieuse en matière de sécurité, d'asile et d'immigration. L'idée du futur G5 était lancée.

Mon intention n'a jamais été d'instituer un « directoire des grands » ou d'imposer aux États plus petits les décisions des cinq grands. L'Union européenne fonctionne selon des règles juridiques précises, que le G5 n'a pas le pouvoir de changer tout seul. Ma conviction était en revanche que la politique de sécurité et d'immigration avait besoin d'impulsion politique et que cette impulsion pouvait être donnée par les cinq grands pays de l'Union les plus exposés aux difficultés de l'immigration et de l'insécurité. Les relations personnelles que nous serions capables de nouer entre ministres nous aideraient par ailleurs à surmonter les obstacles. Lorsqu'un fonctionnaire dit, dans une réunion communautaire, que son gouvernement accepte de négocier telle ou telle directive, il est plus facile ensuite pour son État de se dédire ou de jouer la montre, que lorsque cet engagement est pris à cinq dans le cadre d'une relation de confiance, voire d'amitié.

À dire vrai, les réunions du Conseil « Justice et Affaires intérieures » des ministres de l'Intérieur et de la Justice m'étaient devenues insupportables à force de palabres sur des sujets techniques qui n'intéressaient que quelques-uns et qui ne débouchaient jamais sur la moindre décision opérationnelle. Je me disais qu'au moins les cinq grands pays avaient les mêmes problèmes à surmonter et surtout la même urgence à y faire face. À la diplomatie de nos réunions à 25, je préférerais grandement le pragmatisme de nos rencontres à cinq.

En agissant ainsi, je ne faisais d'ailleurs que m'inspirer de la façon dont a fonctionné pendant des années le couple franco-allemand. Fondé sur une volonté forte de réconciliation et parfois sur des relations d'amitié entre ses dirigeants, le couple franco-allemand a longtemps impulsé en Europe les politiques nouvelles et donnait le signal qu'une négociation était possible puisqu'un compromis était trouvé entre les deux pays se situant généralement aux deux extrémités du débat européen. L'Union est aujourd'hui plus nombreuse et plus diverse. Les points de vue de la France et de l'Allemagne sont loin de couvrir tout le spectre des positions possibles, en particulier celles de la Grande-Bretagne et des pays d'Europe centrale et orientale. C'est pourquoi je pense que, si l'entente franco-allemande est toujours aussi nécessaire, elle n'est plus un moteur assez puissant pour l'Europe d'aujourd'hui. Dans mon esprit, c'est une évidence.

Il m'a fallu du temps et de la détermination pour convaincre un à un mes homologues étrangers ainsi que le président de la République d'accepter le principe du G5. Chacun craignait la réaction des « petits » États devant ce qu'ils risquaient de vivre comme une exclusion. Finalement, tous les obstacles purent être surmontés et le premier G5 eut lieu le 16 mai 2003 à Jerez de la Frontera en Espagne. Le hasard voulut hélas, j'ai peine à le dire, que deux jours avant cette réunion, la ville de Casablanca soit déchirée par des attentats meurtriers, un événement d'une ampleur jusqu'alors inédite sur le sol marocain. La nécessité pour nos États d'agir vite et de manière concertée n'en était que plus manifeste. Depuis cette date, le G5 a formulé de nombreuses propositions en matière de sécurité et d'immigration, qui ont été reprises ensuite par l'Union européenne dans le cadre formel des 25. De même, nous avons engagé un certain nombre d'actions de coopération, en particulier dans le domaine de la lutte contre le terrorisme. Nous partageons désormais ce que nous savons sur les réseaux terroristes et nous avons créé à l'échelle des cinq un fichier d'empreintes génétiques en matière terroriste. Les attentats du 11 septembre 2001 puis ceux de Madrid ont montré à quel point il est essentiel que les nations démocratiques puissent s'échanger rapidement des informations. Dans les deux cas en effet, il s'en est fallu de peu pour qu'une excellente coopération entre les services déjoue les plans de ces criminels. Combien de tentatives sont ainsi évitées, du fait de cette coopération ?

Le G5 est la preuve que l'on peut encore agir en Europe. Je crois d'ailleurs qu'il se doit d'évoluer. D'une part, en s'ouvrant à la Pologne, qui, avec ses 39 millions d'habitants, a naturellement le statut de grand d'Europe. Ensuite en associant les autres États européens dès lors qu'ils souhaitent aller de l'avant en matière d'immigration et de sécurité. Ainsi personne ne se sentira exclu. Tous ceux qui veulent agir pourront participer, et en même temps une véritable politique communautaire pourra se mettre en œuvre.

Personne ne m'a soufflé l'idée de créer le G5 pour sortir la politique européenne d'immigration et de sécurité de son impasse. Beaucoup ont ensuite tenté de me dissuader de la mettre en œuvre, ne serait-ce qu'en exprimant des doutes sur sa faisabilité. C'est le refus obstiné de l'immobilisme qui m'a fait vaincre les réticences les plus argumentées et les attitudes les plus décourageantes. Rien ne nous empêche d'appliquer aux autres domaines de l'action communautaire la même imagination et la même détermination.

Les Français reprochent à l'Union européenne d'être abstraite, de ne pas engager les politiques concrètes dont les pays européens ont besoin, par exemple en matière de lutte contre les délocalisations, d'aide au développement, de recherche et d'innovation. C'est exact, mais ils oublient, ou plutôt on ne leur rappelle pas assez, que l'Union européenne est avant tout un rassemblement d'États. L'Union européenne est immobile parce que ses États membres le sont, notamment le couple franco-allemand, et plus particulièrement la France dont l'influence ne cesse de se réduire. Un chiffre illustre à lui seul cette triste réalité : entre 1997 et 2002, le nombre de textes préparés par le Conseil de l'Union rédigés à l'origine en langue française est passé de 47 % à 18 %. Ce n'est plus la France qui, la première, a les idées. Ce ne sont plus nos experts, nos diplomates ou les fonctionnaires français en activité dans les institutions européennes qui, les premiers, jettent sur un papier le commencement de ce qui deviendra plus tard un texte communautaire. Ce n'est plus en français qu'on estime nécessaire de négocier parce que c'est de moins en moins la France qui détient la clef des négociations communautaires.

Tout cela n'est pas une fatalité. C'est la conséquence de notre déficit de volonté, de notre manque d'imagination, des moyens que nous n'avons pas su mettre au bon moment au bon endroit, des fonctionnaires français que nous n'avons pas su placer aux bons niveaux de responsabilité dans les bonnes institutions, de nos négligences dans la transposition du droit communautaire, du faible intérêt que nous portons au fond à ces questions. À force de vivre sur notre héritage, sur notre passé, à force de croire que nous pouvons tout nous permettre parce que nous sommes la France, à force de penser que nous n'avons pas besoin, nous aussi, de faire des efforts, notre influence se réduit. Il est possible de changer.

Je veux revenir sur cette conception dépassée qui fait des questions européennes « des affaires étrangères », et du ministère aux Affaires européennes un ministère délégué rattaché au Quai d'Orsay. Les questions européennes sont devenues nationales tant l'Europe joue un rôle central dans notre actualité. À mes yeux, le Premier ministre doit porter le portefeuille des Affaires européennes. Son interministérialité serait alors un atout décisif. Son poids politique renforcerait l'influence de la France dans le débat européen, où nous nous devons d'être bien davantage présents. J'ajoute avoir toujours trouvé étrange la répartition des tâches entre le président de la République, censé s'occuper d'abord de l'international, et le Premier ministre confiné à l'Hexagone, et interdit d'action européenne. C'est en se déployant sur la scène européenne que ce dernier soulagera le président des innombrables rendez-vous européens, ce dernier se réservant pour les sommets des chefs d'État et de gouvernement de l'Union où les principales décisions sont prises, les impulsions données, les arbitrages rendus. Le président doit fixer la ligne sur l'Europe, le Premier ministre l'aider à la mettre en œuvre.

Notre monde n'est pas condamné à disparaître : l'exemple d'Alstom

Quelques mois avant l'élection présidentielle de 2002, le Premier ministre Lionel Jospin fut interpellé par des ouvriers de l'entreprise Lu dont les emplois allaient être supprimés par un plan social. L'échange fut tendu, contribuant grandement à son échec de 2002. Les manifestants s'exprimaient en effet ainsi : « Ne faut-il pas voter pour les patrons, puisque ce sont eux qui dirigent vraiment ? » Cette remarque faisait écho à une intervention antérieure du Premier ministre à la télévision, au cours de laquelle, interrogé au sujet de licenciements chez Michelin, sa réponse avait été lapidaire, criante de vérité en même temps que d'impuissance : « L'État ne peut pas tout. »

En réalité, malgré la construction européenne et malgré la mondialisation, le destin des nations et l'évolution du monde reposent encore très largement sur l'action des États. La mondialisation crée un contexte nouveau, des problématiques différentes. La Chine et l'Inde menacent une partie de notre économie. Mais il ne dépend que de nous de rester dans le débat. Notre monde n'est pas condamné à disparaître. Il est appelé à participer à la définition des nouveaux équilibres. C'est ce qui m'a conduit à ntervenir fortement dans l'affaire Alstom.

Alstom est une grande entreprise française du secteur de l'énergie et des transports. Elle est leader mondial dans la construction de centrales électriques, de turbines et de trains à grande vitesse. Elle est deuxième mondial pour la construction de paquebots de croisière et sur le marché des trains de banlieue, métros et tramways. Elle représente 18 % du chiffre d'affaires mondial du transport ferroviaire et emploie 69 000 personnes dans le monde dont 25 000 en France. Malgré ce potentiel industriel important, au cours de l'été 2003, Alstom s'est trouvée dans une situation financière très délicate. Compte tenu du délai qui s'écoule entre le moment où une commande de matériel est passée par un client et celui où la commande est livrée, ce type d'entreprise ne peut en effet fonctionner que si les clients versent des acomptes au fur et à mesure de l'avancement des chantiers. Les acomptes sont toutefois garantis aux clients par les banques, afin que ceux-ci puissent récupérer leurs fonds dans l'hypothèse où finalement l'entreprise ne réaliserait pas la commande.

En juillet 2003, les banques ont refusé de continuer à se porter caution d'Alstom en raison de la dégradation de la situation financière de l'entreprise liée à des erreurs antérieures de gestion. En septembre 2003, après un conflit assez difficile avec les autorités communautaires, le gouvernement français obtint de Bruxelles l'autorisation exceptionnelle et temporaire d'entrer dans le capital de la société et de la soutenir financièrement pour lui permettre de se restructurer. Les aides d'État aux entreprises privées sont en principe interdites par le droit communautaire, afin de protéger la libre concurrence. Certaines peuvent toutefois être autorisées par la Commission européenne à titre exceptionnel et pour des motifs dûment justifiés.

Au printemps 2004, il apparut que le temps accordé par la Commission européenne ne serait pas suffisant pour redresser Alstom et qu'un nouveau plan de sauvetage devait être envisagé. La Commission ayant fait savoir que prolonger son autorisation porterait atteinte à la libre concurrence et était donc inenvisageable, il nous restait deux solutions : celle poussée par les banques, consistant à rapprocher Alstom d'Areva, avec un risque très élevé d'étendre à la seconde les fragilités de la première ; celle proposée par Siemens, le concurrent allemand d'Alstom, consistant à reprendre les activités les plus rentables et à laisser les autres se redresser seules, ce qui avait en réalité peu de chances de réussir.

Quant à l'administration des Finances, une fois encore, elle pensait de bonne foi qu'il n'y avait rien à faire, que l'entreprise était condamnée, qu'au final rien ne servirait d'insister. Une note définitive m'était d'ailleurs parvenue avec cette conclusion sans appel. Je ne manquais pas de demander à son jeune et brillant rédacteur de la refaire en se donnant la peine d'imaginer ce qu'il aurait écrit si son propre père avait été salarié d'Alstom ! J'étais convaincu qu'on ne pouvait ainsi rayer de la carte les 25 000 emplois de la société en France.

Au plus haut niveau de l'État, on était tenté de favoriser un rapprochement franco-allemand. J'étais d'accord, à condition que cela ne conduise pas au démantèlement de l'entreprise. Or, un seul rendez-vous avec le président Von Pierer me convainquit que Siemens ne souhaitait que la disparition d'un concurrent et qu'il était inutile de poursuivre les discussions. Une violente polémique s'ensuivit en Allemagne sur mon « nationalisme » supposé. À vrai dire, je n'en avais cure !

Après avoir examiné chacune des solutions, quand tout aurait dû me conduire à baisser les bras, je décidai de rediscuter avec Bruxelles. À l'issue de trois séances de négociation en moins d'un mois avec Mario Monti, le commissaire européen à la concurrence de l'époque, j'obtins de la Commission un moratoire de quatre ans et l'autorisation pour l'État d'investir de nouveaux fonds publics dans la société. En échange, Alstom s'engagea à nouer des partenariats industriels dans ce délai de quatre ans et à céder certaines activités à hauteur de 10 % de son chiffre d'affaires. Je n'acceptai toutefois aucune fermeture de site en France et aucune cession d'actifs stratégiques. En parallèle, je devais convaincre les banques de participer à la recapitalisation de la société et d'accorder de nouveau leur caution aux clients d'Alstom.

Les discussions avec le commissaire européen furent instructives. Mario Monti est un Italien francophone, intelligent et honnête. Sa rigidité naturelle se trouvait toutefois renforcée par le sentiment de toute-puissance de la technostructure bruxelloise. Un commissaire ne négocie pas seul. Il est constamment entouré de sept ou huit collaborateurs représentant chacun une direction. Ainsi sa marge de manœuvre est extrêmement encadrée, pour ne pas dire étroite. Les services avaient décidé qu'il fallait « faire payer l'entreprise », qu'elle avait été trop aidée et que sa survie n'était qu'une question de mois. Je me battis pied à pied, en faisant valoir que les marchés du transport et de l'énergie étaient prometteurs. Je croyais tellement en l'avenir d'Alstom que j'engageais l'État à y investir jusqu'à 20 % de son capital.

Depuis l'accord trouvé avec la Commission au printemps 2004, le cours de bourse d'Alstom a été multiplié par trois et l'État actionnaire a donc multiplié par trois sa mise initiale. Ce que, vingt mois auparavant, j'avais acquis pour 700 millions d'euros, l'État vient de le revendre 2 milliards au groupe Bouygues. L'opération s'est révélée gagnante aussi bien pour l'État que pour l'entreprise et ses salariés. Des milliers d'emplois ont été sauvés et un fleuron de notre industrie préservé.

Au cours de ces longues semaines de négociations, je me suis rendu à plusieurs reprises sur des
sites industriels d'Alstom, notamment en avril 2004
alors que je n'avais pas encore de solution à proposer.
C'était un risque politique important. Je ne le
regrette pas. Cela m'a permis de constater la faiblesse
des salaires des ouvriers dans l'industrie : 1 200 euros
après vingt-cinq ans d'ancienneté, quand on sait
fabriquer un TGV, c'est peu, beaucoup trop peu. Et
cela m'a irrémédiablement engagé à sauver Alstom,
comme une sorte de destin lié avec ceux que j'avais
croisés tout au long de ces visites, qui m'avaient fait
partager leur passion pour leur métier et leur fierté
pour leur savoir-faire.

Alstom n'est pas Lu, Lu n'est pas Alstom. Je
reproche d'ailleurs moins à Lionel Jospin de ne pas
avoir sauvé les emplois menacés chez Lu ou chez
Michelin que d'avoir dit que l'État n'avait pas à s'en
occuper. Car enfin, la volonté peut parfois permettre
de garder des emplois et conduire à des investissements rentables ! Surtout, la volonté est la qualité la
plus nécessaire pour régénérer la politique. Et puis,
à supposer même que « l'État ne puisse pas tout », il
peut au moins ne pas placer nos entreprises dans la
pire situation qui soit pour se battre sur les marchés
internationaux. Quand on a détruit des milliers
d'emplois par cette politique à la rigidité stupéfiante
des 35 heures, et empêché la modernisation de la

France par le refus de voir le monde tel qu'il est, on ne peut peut-être rien faire, mais on peut au moins battre sa coulpe.

Le rôle des ministres

Il est certain que le succès obtenu dans le dossier Alstom a été facilité par le poids qui était le mien au sein du gouvernement. Si je n'avais pas occupé cette place sur l'échiquier politique, Bruxelles ne m'aurait même pas écouté tandis que Matignon ou l'Élysée aurait été rapidement sollicité dans mon dos pour me faire revenir sur ma décision d'écarter la solution Areva, qui avait la faveur des banques. Dans l'affaire des prix dans la grande distribution, tout a été tenté pour faire capoter la négociation, y compris en sollicitant les conseillers du président de la République.

Dans ma conception des affaires publiques, les ministres ne sont pas de simples collaborateurs du président de la République. Ils doivent diriger leurs départements ministériels avec une large autonomie dans un cadre tracé par le chef de la majorité. Ce dernier doit fixer des objectifs et un calendrier. Au ministre d'être présent aux rendez-vous, en choisissant les voies pour y arriver. Il gagne ainsi la liberté de manœuvre indispensable pour agir. En cas d'échec, il assume ses responsabilités en démissionnant ou en étant démissionné.

Ministre de l'Intérieur, j'ai annoncé ma volonté de supprimer la double peine sans en informer préalablement ni le président, ni le Premier ministre. À l'arrivée, j'obtins l'unanimité des élus du Parlement. Si j'en avais parlé, il se serait bien trouvé un conseiller technique pour m'interdire l'action ou en tout cas me la déconseiller !

En contrepartie, les ministres ne doivent pas être affaiblis parce qu'on les change tous les six mois, comme cela a été le cas du ministre de l'Économie et des Finances au cours des dernières années. Ils ne doivent pas non plus être flanqués d'un directeur de cabinet téléguidé par Matignon ou par l'Élysée. Si le ministre est tellement fragile qu'on croit nécessaire de le surveiller, alors il ne doit pas être ministre !

Voir le long terme

Le succès du redressement d'Alstom est aussi la preuve de l'importance, en politique, de savoir où l'on veut aller. Je me suis engagé pour Alstom, et j'ai gagné, parce que j'avais confiance dans le savoir-faire des femmes et des hommes qui travaillent dans cette entreprise, parce que je croyais fondamentalement en l'avenir des métiers portés par Alstom et parce que je suis convaincu que l'industrie doit garder une place en Europe, et une place importante.

Je ne crois pas que les services sont la seule perspective des économies européennes. Je pense que nous devons conserver des activités industrielles dans un certain nombre de secteurs stratégiques. Le transport et l'énergie en font partie, à la fois parce que nous y avons des entreprises de capacité mondiale et parce qu'il s'agit de deux activités indispensables à notre vie économique et sociale. Avoir abandonné l'acier au début des années 1980 a constitué une lourde erreur. C'en fut une autre que de laisser disparaître Pechiney, fleuron de notre industrie chimique, au bénéfice du Canadien Alcan. Nous ne pouvons conserver tous les secteurs industriels, mais nous devons sélectionner ceux qui nous semblent porteurs, pour lesquels nous avons des atouts, et y investir massivement. Pour la France, l'industrie agroalimentaire en fait évidemment partie.

Je crois dans la nécessité de la concurrence. Je veux rappeler, parce qu'on ne le dit pas assez, que le but premier de la politique de la concurrence est la protection des consommateurs et du pouvoir d'achat. Son rôle est d'empêcher, par une action préventive et s'il le faut répressive, que des entreprises devenues monopolistiques n'abusent les consommateurs en pratiquant des prix excessifs ou ne se livrent à des pratiques commerciales condamnables.

Pour autant, la politique de la concurrence ne doit pas empêcher la constitution de grandes entreprises françaises ou européennes capables d'assurer sur le long terme notre présence industrielle sur des secteurs stratégiques à forte densité technologique. Une sévérité aveugle, dogmatique à l'égard des aides d'État peut avoir pour effet de freiner l'émergence d'entreprises européennes puissantes. Il eut été insensé de laisser périr Alstom, alors que les transports urbains et ferroviaires ainsi que l'énergie sont des enjeux industriels majeurs pour demain. Voilà ce que j'ai expliqué à Mario Monti et voilà pourquoi il m'a écouté.

Le ministre des Finances n'est pas illégitime à favoriser la constitution de champions nationaux et européens. J'ai choisi cette stratégie en encourageant fortement Sanofi et Aventis à fusionner pour former ainsi le troisième groupe pharmaceutique mondial. Puisque la Sécurité sociale rembourse les médicaments, autant garder une industrie pharmaceutique française de dimension mondiale, ce qui n'aurait plus été le cas si Novartis, une société suisse, avait racheté Aventis. On m'a qualifié « d'interventionniste » à ce propos. J'assume ce qualificatif s'il s'agit d'éviter une perte de substance industrielle ; s'il s'agit aussi de conserver à la France la maîtrise d'une partie de ses approvisionnements pharmaceutiques, une question essentielle quand des crises sanitaires telles que la grippe aviaire ou le SRAS peuvent survenir à tout instant. Le ministre des Finances n'est pas condamné à n'être qu'un spectateur.

Au terme de ces quatre années, les fonctions de ministre de l'Intérieur puis des Finances m'ont conforté dans la conviction qu'il n'y a pas de fatalité. Cela ne veut pas dire que l'exercice du pouvoir est facile. Il est harassant. Mais il est faux de prétendre que plus rien n'est possible. Là où nous ne ferons rien, nous subirons. Là où nous agirons, nous avons une chance d'obtenir plus, de changer en mieux. Laisserons-nous la France regarder passivement la transformation et la réussite des pays qui l'entourent ? Pourquoi hésiter à entrer nous aussi dans le monde de demain avec nos meilleurs atouts ?

Chapitre III

La crise des banlieues

La crise des banlieues de l'automne 2005 restera comme un événement très important dans notre pays. Il s'agit d'une véritable prise de conscience. À titre personnel, elle a été le déclencheur que j'attendais sans doute inconsciemment pour entreprendre l'écriture de ce livre. Les réactions et innombrables commentaires à propos de ces événements ont en effet été si caractéristiques des dysfonctionnements de notre démocratie ! Rarement la pensée unique aura été aussi largement répandue et partagée : ainsi cette révolte était « sociale » ; la plupart des émeutiers étaient d'abord des victimes ; et le principal coupable était l'État dans son acception la plus large, qui n'avait pas assez fait, pas assez dépensé, pas assez donné d'éducation, de formation, d'assistance.

Une fois encore, la société dans son ensemble était dénoncée, cette recherche de responsabilité collective n'ayant d'autre but et d'autre effet que d'exonérer par avance toute forme de responsabilité individuelle. Car selon nos bonnes vieilles habitudes, puisque tout le monde était responsable, personne n'était coupable et nul n'aurait à rendre compte de ses insuffisances. Une fois encore, le postulat habituel était resservi : si cela n'a pas marché, c'est parce qu'on n'a pas consacré assez de moyens ! Et la seule réponse adaptée serait de dépenser plus, sans doute pour obtenir encore moins ! Cette sempiternelle rengaine a au moins l'avantage de servir pour tout et pour tous, pour les banlieues, mais aussi l'intégration, l'éducation, l'exclusion ou la formation... Le pire est que la plupart des commentateurs étaient sincères.

Lors de cette crise, la pensée unique a pris un relief particulier sous la pression de l'entrée en scène de personnalités du « show-biz » originaires de ces quartiers, n'y vivant plus depuis longtemps, mais qui, du fait de leurs incontestables réussites, voulurent se poser en porte-parole des habitants des quartiers. Ces derniers furent les premiers surpris de tant de sollicitude. On vit ainsi ce spectacle étrange de Joey Starr se posant en maître des élégances, de Jamel Debbouze en modérateur ou même de Yannick Noah expliquant qu'il quitterait la France si j'arrivais au pouvoir, omettant de préciser qu'il n'y habitait plus depuis longtemps. Car pour toutes ces personnalités, l'explication était évidente, il n'y avait qu'un seul coupable : moi. Et éventuellement un second : la police. La solution allait donc de soi, il fallait démissionner le ministre de l'Intérieur et retirer la police. Alors le calme reviendrait, et sans doute les banlieues couleraient-elles de nouveau des jours heureux ! Le problème, c'est qu'à l'abri de tous ces poncifs, derrière le discours compassionnel et absolutoire par principe, une situation de plus en plus grave se développe et s'enracine. Depuis le début des années 1980, la France a dépensé des milliards dans les banlieues. Elle a mis en place des dizaines de plans successifs. Non seulement rien n'a changé, mais encore la situation n'a fait qu'empirer. Ce n'est pas d'argent dont les banlieues ont besoin, c'est de solutions nouvelles, de méthodes différentes et de discours francs.

En particulier, nos quartiers ont besoin d'une immigration régulée. Sans ce préalable, rien ne sera possible. Cette vérité est dérangeante, mais réelle : beaucoup des problèmes actuels dans nos banlieues sont la résultante d'une immigration incontrôlée et donc non intégrée. Avec ce paradoxe que les enfants et petits-enfants de la première génération d'immigrés se sentent moins français que leurs parents et grands-parents, alors qu'ils le sont pourtant juridiquement. Faire ce constat, c'est s'exposer à la caricature. Pourtant je m'y risque parce qu'il est le reflet de la réalité.

La sémantique

Je veux revenir sur le contexte dans lequel j'ai utilisé le terme « racaille », un soir, sur l'esplanade d'Argenteuil. Je voulais me rendre dans ce quartier connu pour être l'un des plus criminogènes de la région parisienne. J'avais choisi précisément une heure tardive pour montrer aux voyous habituels du secteur que désormais la police serait partout et à toute heure la bienvenue. Je venais pour installer, dans ce quartier, une nouvelle compagnie républicaine de sécurité, forte de sa nouvelle doctrine d'emploi. Depuis 2002, en effet, j'ai changé ce que l'on appelle « la doctrine d'emploi » des CRS, c'est-à-dire les missions qu'on leur confie et les modalités selon lesquelles ils les effectuent. Plutôt que de faire tourner en permanence nos CRS sur tout le territoire national, en fonction des événements, avec du temps perdu en déplacement et des frais compensatoires importants pour les finances publiques, j'ai décidé que les CRS auraient désormais des affectations régionales. Les coûts financiers en seront réduits et la vie familiale des CRS n'en sera que plus facile. Surtout, cette nouvelle doctrine d'emploi permet de stabiliser les agents dans les quartiers, qui peuvent ainsi les connaître, ce qui est indispensable si l'on veut s'attaquer aux trafics, démanteler les bandes, et non pas seulement faire du maintien de l'ordre. Les quartiers ont besoin qu'on puisse y vivre en paix ; que les jeunes filles y soient respectées ; que travailler à l'école y soit plus attractif que faire le guet pour des trafiquants de drogue ; que l'État s'intéresse à l'origine des revenus de ceux qui ne font rien de leur journée et roulent néanmoins en Mercedes. Penser que la police doit se retirer des quartiers est à l'exact opposé de ce qu'il faut faire. Les quartiers ont besoin que s'y applique la loi républicaine.

À notre arrivée, et ce n'était pas un hasard, nous étions attendus par deux cents furieux qui nous insultèrent abondamment et nous jetèrent tout ce qu'ils avaient sous la main. La tension était forte. Le service de sécurité était à cran. Je décidai malgré tout que nous finirions les quatre cents derniers mètres à pied. Ce ne fut pas une promenade de santé ! Je ne voulais pas que notre cortège accélérât le pas. Les voyous se déchaînèrent de plus belle devant ce qu'ils considéraient être une provocation. Cette zone était la leur. Ma seule présence était reçue comme un défi. Quelle inversion des valeurs ! Quelle perversion de la pensée ! La loi des bandes faisant front à la loi de la République ! La bagarre fut violente et dura presque une heure. Je restai au poste de police d'Argenteuil en attendant que les CRS eussent reconquis le terrain. Vers minuit, je pus continuer ma visite. Alors que je me trouvais aux pieds de grandes tours, une fenêtre s'ouvrit et une femme visiblement d'origine maghrébine m'interpella : « M. Sarkozy, débarrasseznous de cette racaille ! On n'en peut plus ! » Je lui répondis : « Oui Madame, je suis là pour cela, je vais vous débarrasser de cette racaille. » Ni elle, ni moi ne pensions à ce moment précis avoir un tel succès...

Avec une mauvaise foi digne des meilleures manipulations, quelques « bonnes consciences » s'emparèrent du mot pour amalgamer tout et son contraire. En 24 heures, je fus accusé d'insulter les jeunes, d'encourager le racisme et la xénophobie, de perdre mes nerfs, rien que cela... Aux dires de la gauche, c'est même l'emploi de ce mot qui mit le feu aux banlieues ! Peu importe la manœuvre politique, on peut d'ailleurs penser qu'elle était de bonne guerre. Beaucoup plus préoccupant en revanche, une partie de nos élites reçut cette analyse comme exacte. Cela en dit long sur le décalage qui existe entre ce que pensent les habitants de la banlieue et ce que disent ceux qui en parlent de loin. D'ailleurs, plus ils en sont loin, plus ils en parlent... Jamais sans doute on a autant parlé des quartiers que dans les colloques et les dîners en ville de la fin de l'année 2005 !

Toute la difficulté est bien là : résister à la pression de la pensée unique sans tomber pour autant dans l'anathème, l'excès ou la caricature. En employant le mot racaille, je n'ai jamais eu le sentiment d'avoir été trop loin. J'ai décrit une situation à mes yeux détestable, celle qui fait régner une loi des bandes et de la peur sur des milliers de nos compatriotes. J'ai appelé par le nom qu'ils méritent des individus que je me refuse à appeler « jeunes ». Justement par refus de tout amalgame avec une jeunesse qui n'a rien à voir avec cette minorité. De la même manière, je ne crains pas de dire que ceux que l'on appelle « grands frères » sont plus souvent des caïds et des chefs de bande que des exemples de réussite par le travail et par le mérite. Enfin, je n'ai toujours pas compris en quoi cette expression courante stigmatiserait une couleur de peau, dont je sais très bien qu'elle ne prédispose pas à devenir délinquant. J'abhorre le racisme. Je déteste la xénophobie. Je crois dans la force et la richesse de la diversité. J'aime l'idée d'une France devenue multiple. Mais j'accuse ceux qui nient la réalité que vivent nos concitoyens les plus modestes d'être à l'origine de la montée des extrêmes en condamnant la République à la cécité, à la passivité, à l'immobilisme.

Reste le débat sur ce que devrait être le vocabulaire d'un ministre. Ainsi, le porte-parole du parti socialiste reconnut que le terme « racaille » était courant, mais qu'il ne convenait pas dans la bouche « d'une excellence ministérielle ». C'est une bien curieuse conception de la République. Nous sommes censés être tous égaux en devoirs et en droits. Il n'y a donc pas, à mes yeux, le vocabulaire recommandé pour les élites et celui qui serait consenti au peuple. Il y a le parler vrai et le parler faux. Il y a le parler franc et le parler hypocrite. Il y a le parler vulgaire et celui qui est respectueux. À aucun moment, en employant le mot « racaille », je n'ai eu le sentiment d'être vulgaire, hypocrite ou insincère.

Un débat démocratique aseptisé

Un responsable politique doit se faire comprendre. Pour cela, il n'est pas interdit, il est même recommandé, d'employer un langage simple qui ne soit pas simpliste. Être entendu et être compris, voilà les objectifs. L'être sans abaisser le débat, voilà bien la contrainte. Cette polémique était stérile, sans intérêt, mais elle fut révélatrice du comportement d'une partie de nos élites, si à cheval sur les formes et si conservatrice sur le fond. C'est avec elle que je veux rompre sans remords et sans regrets ! C'est cette conception aseptisée du débat démocratique qui est responsable de l'ennui généralisé suscité par la politique ces dernières années. L'affaire est grave. Malheur à celui qui essaie de briser les tabous, de casser les codes, de prendre le risque d'innover. Avant même que l'on prenne le temps de s'interroger sur la pertinence de sa démarche, le voici accusé de « populisme ».

Ne pas employer le vocabulaire habituel, proposer une idée originale, ou même simplement souligner une préoccupation de nos concitoyens, est immédiatement qualifié de démagogie par une bonne partie de l'intelligentsia. Plus sévère encore, celui qui se risque à de telles audaces peut être accusé de « marcher sur les terres du Front national ».

J'ai fait cette expérience à de nombreuses reprises.

En juin 2005, après le meurtre d'une femme qui faisait du jogging et qui laissait une petite orpheline de onze ans, j'ai posé la question de la responsabilité des magistrats qui avaient permis à l'auteur présumé des faits de sortir de prison. Il s'agissait d'un multi-récidiviste, condamné quinze ans auparavant à une peine de perpétuité pour un crime comparable. Comment expliquer à un mari éploré et à une petite fille bouleversée que l'État avait laissé un monstre s'installer à leurs côtés ? Juger est évidemment un métier difficile, qui s'exerce dans un cadre juridique très contraint. Personne ne peut prétendre ne jamais se tromper. Mais lorsque la société donne à des magistrats le pouvoir de prendre une décision aussi lourde que celle de libérer de manière anticipée un multi-récidiviste pour augmenter ses chances de réinsertion, elle est en droit de vérifier que toutes les précautions ont été prises et toutes les investigations menées afin que cette décision soit sans danger pour la société.

Je le dis clairement : si une libération condition-nelle présente un risque, ce n'est pas sur la victime qu'il doit peser. Je préfère qu'on se trompe en rédui-sant les chances de réinsertion d'un multirécidiviste plutôt qu'on se trompe en exposant une victime inno-cente à la pulsion meurtrière d'un criminel. En exigeant de chacun qu'il rende compte de ses méthodes et de ses décisions, on diminue le risque d'erreur et on améliore le fonctionnement du service. C'est ce qui s'est produit avec les médecins, les élus, les animateurs de jeunesse, les responsables sportifs, avec tous ceux qui jouent un rôle en matière de sécurité de nos concitoyens et dont la responsabilité professionnelle est aujourd'hui mise en cause plus souvent et dans des conditions plus rigoureuses qu'autrefois. Ces exigences nouvelles les ont conduits à améliorer leurs procédures, à changer leurs méthodes, pour que la vie de chacun, ce que nous avons de plus précieux, soit mieux protégée.

Dans une démocratie normale, il eût été naturel que les magistrats ayant libéré Patrick Gateau soient invités à s'expliquer sur leur décision, et éventuellement sanctionnés. Dans le droit français, ce n'est pas possible ou très difficile, et de toute façon ce n'est jamais mis en œuvre parce que les autorités politiques craignent la réaction de certaines organisations de magistrats. Seuls le ministre de la Justice et les premiers présidents de cour d'appel peuvent saisir le Conseil supérieur de la magistrature en cas de faute disciplinaire d'un magistrat du siège, ce qu'ils font rarement. Lorsque l'État a été condamné à verser des indemnités pour mauvais fonctionnement du service public de la justice, le ministre peut également se retourner contre les magistrats fautifs. C'est ce que l'on appelle l'action récursoire. Elle n'est jamais exercée, ce qui est un authentique scandale.

Mes propos sur l'affaire Gateau furent suivis de déclarations particulièrement violentes. Je fus accusé de « parler comme le Front national » et un proche du président de la République déclara que « se méfier de la magistrature est un commencement de dissolution sociale », rien que cela. Mon point de vue est que la dissolution sociale commence lorsque des gens ont un pouvoir important sur la vie de leurs concitoyens, mais ne sont tenus d'en répondre devant personne !

Cette petite église de Seine-et-Marne en cet été 2005, je m'en souviendrai longtemps. La chaleur y était torride. La foule s'entassait, compacte. L'émotion était à son comble. J'ai admiré l'époux qui ne laissait rien voir de son émotion, et la petite fille dont seul le regard traduisait la détresse immense. Je me suis excusé au nom de l'État. Je ne suis pas sûr qu'ils m'aient écouté à ce moment précis…

La pensée unique releva le caractère isolé de cette affaire et l'impossibilité du risque zéro. Malheureusement, l'affaire Gateau n'est pas un cas isolé. Avant elle, il y eut l'affaire Grégory et ces deux familles brisées, l'une parce que son enfant est mort, l'autre parce qu'un membre de la famille a été accusé de façon précipitée et assassiné par le père de l'enfant ; l'affaire des disparus de Mourmelon, où les disparitions au même endroit de plusieurs appelés du contingent furent pendant des années qualifiées de désertions ; les affaires Fourniret ou Bodein, où l'on a laissé vivre des monstres à côté de familles honnêtes ; l'affaire Jean-Luc Blanche, où un violeur multirécidiviste, libéré sous conditions, de nouveau mis en examen pour une affaire d'infraction sexuelle sur mineure, mais laissé en liberté par ce juge trop seul et trop débordé qu'est le juge des libertés et de la détention, a violé pas moins de quatre femmes au cours de l'été 2003 ; l'affaire Dils, où un jeune garçon de seize ans a passé quinze ans en prison pour deux crimes dont il n'était pas coupable ; et malheureusement beaucoup d'autres encore. J'ai rencontré suffisamment de victimes et de familles pour témoigner de la souffrance profonde qu'inflige la justice lorsqu'elle manque à sa tâche de protéger les innocents. Dans la plupart de ces affaires, l'État a été condamné à indemniser les familles, mais jamais les magistrats chargés de ces dossiers n'ont été convoqués pour s'expliquer, pour rendre des comptes, pour assumer leurs responsabilités professionnelles. Je veux en finir avec cette opacité qui éloigne les Français de leur justice.

Dans l'affaire des disparus de Mourmelon, c'est par hasard que Pierre Chanal, huit ans après la première disparition, a été arrêté en flagrant délit de séquestration d'un auto-stoppeur hongrois. Il a été condamné pour cette seule affaire en 1990 et libéré en 1995. Entre 1995 et 2003, il est resté libre dans l'attente du procès relatif aux disparitions elles-mêmes. Le lendemain de l'ouverture de celui-ci, il s'est suicidé en prison, laissant à jamais les familles dans l'ignorance des mobiles et des circonstances de ces drames et dans la douleur de ces crimes impunis.

Dans l'affaire des disparues de l'Yonne, la justice, pendant des années, a considéré comme crédible que sept jeunes filles, présentant des profils comparables, handicapées de surcroît, aient pu fuguer dans la même région en moins de six ans. De nombreuses pièces de procédure ont été égarées ou mal classées, faisant perdre à la justice un temps fou. Pour des raisons diverses de fond et de procédure, la seule sanction prononcée dans ce dossier a été le retrait de l'honorariat pour un magistrat déjà à la retraite !

Aujourd'hui, après la catastrophe judiciaire d'Outreau, personne ne conteste plus la nécessité de créer un régime de responsabilité pour les magistrats. Ce régime devra bien sûr prendre en considération les difficultés de ce métier, mais il devra permettre à la société de leur demander des comptes et d'éviter le discrédit que jettent sur toute une profession les négligences de quelques-uns. Il ne doit pas exister de pouvoir sans responsabilité. C'est un comble d'être obligé de le rappeler avec tant de force pour avoir une chance d'être entendu.

Le devoir de la société est de protéger les siens

Lorsque j'ai commencé à vouloir agir dans le domaine de la prévention et de la répression de la délinquance sexuelle, j'ai subi des imprécations comparables. Pour beaucoup d'entre eux, les délinquants sexuels sont malheureusement incurables. Le risque de récidive est très élevé. C'est un fait scientifiquement établi. Le devoir de la société est de se protéger contre ces personnes que la maladie transforme en prédateurs. La plupart des grandes démocraties occidentales l'ont fait.

Dans mes fonctions de ministre de l'Intérieur, les instants les plus pénibles sont ceux de la rencontre avec les familles de victimes, et parmi elles les parents d'enfants assassinés. J'ai des scrupules à évoquer cette pénibilité tant elle est dérisoire face aux souffrances de ceux dont la vie n'aura plus jamais aucun sens. Je déteste l'expression « faits divers » pour qualifier ce type d'affaires. Un enfant martyrisé et assassiné n'est pas un fait divers, c'est un drame, un échec, une tragédie qui doit tous nous interpeller. L'État doit mettre toute son énergie pour éviter l'inqualifiable, le scandale des scandales.

Ma dernière visite fut pour la famille du petit Mathias, garçonnet de quatre ans et demi, violé puis noyé par un pervers. C'était une famille heureuse d'agriculteurs, résidant dans la Nièvre. Là encore, je ne suis pas près d'oublier le père qui m'attendait sur le pas de la porte de la ferme : « C'est le ministre ou c'est l'homme que je reçois ? » me dit-il avant toute autre forme de contact. « C'est l'homme, le père » lui répondis-je dans un souffle qui dissimulait mal ma profonde émotion. « Eh bien voilà, poursuivit-il, c'est mon anniversaire dans deux jours. Beau cadeau, mon fils violé et assassiné ! » Que répondre ? Que dire ? Que faire ? Sans doute rien, simplement être là pour aider à porter une douleur inhumaine.

Une fois entré dans la maison, j'embrassais la mère de Mathias, jeune femme à la dignité exemplaire, qui retenait ses larmes sans cacher son immense désarroi. On me proposa de m'asseoir sur le canapé où trônait, seule et triste, la peluche de Mathias. J'avais les larmes aux yeux. Nous ne nous sommes pas dit grand-chose, mais nos silences étaient suffisants. Pourquoi Mathias ? Pourquoi ce monstre était-il là ? Pourquoi ne pas rétablir la peine de mort ? C'était la question qui revenait sans cesse dans la bouche du père. Réaction combien compréhensible ! Je n'ai pas eu le cœur de lui dire que l'aspect dissuasif d'une telle peine s'agissant de fous et de pervers n'existait pas. Et que ma philosophie personnelle m'avait conduit, il y a fort longtemps, à y être opposé.

Ma philosophie... j'avais conscience qu'elle ne pesait pas lourd devant la douleur des parents d'un enfant martyr ! Je pense souvent à cette famille et à son épreuve.

Peine de mort, pas peine de mort, depuis des années le débat revient en boucle chaque fois qu'un enfant est victime d'un crime aussi monstrueux. Il existe pourtant d'autres solutions. Le fichier des délinquants sexuels en fait partie. Il m'a toutefois fallu briser beaucoup de tabous et de conformismes, lutter pied à pied contre les mensonges et les raccourcis déstabilisants, pour obtenir, en 2004, sa création.

Aucun des fichiers existants, ni le casier judiciaire qui répertorie des condamnations, ni les fichiers d'empreintes digitales et génétiques, qui conservent des traces et des empreintes, ni les fichiers d'infractions tenus par la police et la gendarmerie, qui listent des auteurs, des faits et des circonstances opératoires, ne remplissait le rôle que je voulais voir jouer à ce fichier. En particulier, aucun ne comporte les adresses à jour des personnes référencées, ce n'est pas leur finalité. Le fichier des délinquants sexuels est préventif. Son but est de connaître en permanence l'adresse de ceux qui ont été condamnés pour une infraction sexuelle. Il oblige donc les auteurs de ces infractions à signaler leur changement d'adresse et, pour les auteurs des faits les plus graves, à pointer chaque mois au commissariat ou à la gendarmerie de leur domicile. Au Canada, grâce à l'existence d'un tel fichier, la police peut se rendre immédiatement au domicile de tous ceux qui y figurent et habitent dans le voisinage lorsque la disparition d'un enfant est signalée. Car là aussi les faits sont scientifiquement constatés : ce sont dans les premières heures qu'il faut agir avec efficacité pour que l'enlèvement d'un enfant ne se transforme pas en drame irréversible.

Lorsque j'ai annoncé la création de ce fichier, j'ai été accusé de violer les droits de l'homme – bigre ! – et la commission nationale consultative des droits de l'homme a dénoncé une « atteinte excessive à la vie privée et au droit à l'oubli » des personnes condamnées. Je repense à ce hameau de Moulins-Engilbert où résident les parents du petit Mathias. Je me souviens de son vélo encore garé dans la cour et je m'interroge sur ce fameux « droit à l'oubli » : aux yeux de cette commission nationale consultative des droits de l'homme, à qui doit-il profiter ? À ce récidiviste suspecté d'avoir martyrisé cet enfant ou à cette famille dont la vie s'est arrêtée un week-end de 8 mai ? Pourra-t-elle oublier, elle, la famille de Mathias ? Où est-il son droit à l'oubli ? Un État de droit doit trouver le juste équilibre entre la protection des victimes et la proportionnalité de la répression. Mais il y a des expressions, comme celle du droit à l'oubli, qui sont à la limite de la décence. L'oubli n'est pas un droit quand on a violé un enfant, c'est un devoir, le devoir de ne plus recommencer et de se faire définitivement oublier de la justice et de la société.

Je souhaite que nous allions plus loin en matière de délinquance sexuelle. Une fois purgée leur peine de prison, ces personnes doivent être suivies sur le plan psychologique et psychiatrique, et la police doit pouvoir surveiller à distance les plus dangereuses d'entre elles grâce au bracelet électronique. Il faut pouvoir le leur imposer. Cela sera juridiquement possible pour les personnes qui commettront des infractions après le vote de la nouvelle loi que j'appelle de mes vœux. En revanche, selon le Conseil constitutionnel, le principe de non-rétroactivité de la loi pénale interdit que nous mettions en œuvre ces mesures pour des délinquants déjà condamnés, alors même que leur dangerosité ne fait aucun doute. Tétanisée par ce principe, la pensée de nos experts, de nos élites, de nos magistrats, reste inerte, comme devant un mur infranchissable derrière lequel on ne pourrait regarder. Pour ma part, je ne crains pas de dire qu'un principe, même constitutionnel, est amendable et doit être amendé s'il a pour effet de risquer de porter atteinte à l'intégrité physique des honnêtes gens, en particulier des enfants. Les précautions que je demande sont des mesures de sûreté. Elles n'ont rien à voir avec le principe de non-rétroactivité de la loi pénale. Elles ont d'ailleurs été mises en œuvre chez la plupart de nos voisins, qui partagent pourtant les mêmes principes fondateurs de droit pénal.

Les réactions de la pensée autorisée sont parfois si violentes, si outrancières, si puissantes, qu'elles finissent par décourager les bonnes volontés tentées d'innover. Beaucoup finissent par penser que mieux vaut avoir tort avec tous les autres qu'en partie raison seul ou presque. Ayant compris cela, j'ai décidé de ne plus parler pour les observateurs politiques, mais pour le public lui-même. Je n'ai jamais eu à m'en plaindre depuis !

Être populaire n'est pas être populiste

Je veux évoquer la différence entre le populisme et la popularité. Être populaire, c'est parler de ce qui préoccupe les Français. Être populaire, c'est être compris de ses compatriotes. Être populaire, c'est être choqué par une situation avant que de l'être par une proposition de solution. Être populaire, c'est essayer de changer et d'améliorer la vie quotidienne des gens. Être populaire, c'est refuser les codes. Être populiste, c'est penser qu'une opinion est une vérité simplement parce qu'elle est répandue. Être populiste, c'est penser que les élites et les corps intermédiaires sont toujours disqualifiés pour parler au nom du peuple. Être populiste, c'est chercher le soutien populaire sans prendre les moyens de résoudre une crise. C'est scander sans réformer. C'est amalgamer sans proposer. Je suis à l'opposé de cette attitude.

Je n'ai jamais craint d'avoir des positions minoritaires, par exemple sur la discrimination positive. Je ne souhaite pas la disparition des élites, des corps intermédiaires, des instances de régulation et de représentation des différentes composantes de la société. Ainsi, j'ai mis toute mon énergie dans la création d'un Conseil représentatif du culte musulman. Je ne suis pas un grand partisan des référendums pour décider de réformes économiques ou sociales. Ils courent le risque de réduire des questions complexes à des solutions binaires et simplistes. Je crois dans la démocratie représentative. De même, je voudrais qu'on réapprenne en France à pratiquer le dialogue social, ce qui suppose de favoriser l'émergence de syndicats plus forts et plus représentatifs. À cet effet, il faut supprimer le monopole de présentation des candidats au premier tour des élections professionnelles institué au profit des cinq grandes centrales syndicales de l'après-guerre. Une loi organique devrait garantir aux partenaires sociaux un délai minimal pour régler par la négociation les problèmes de droit du travail, d'assurance-chômage et de retraite, délai au terme duquel le gouvernement et le Parlement interviendraient en cas d'impasse.

Mais je souhaite que les élites et les corps intermédiaires se réveillent, qu'ils ouvrent les yeux sur les réalités de la société française et surtout qu'ils recommencent à aimer et à oser penser. Le couvercle épais de la pensée unique dissimule autant des pensées convenues qu'une absence de pensée.

Être caricaturé dans ses idées

Je suis persuadé que notre démocratie souffre bien davantage d'un déficit de débats et de critiques que d'un éventuel trop-plein. Cette conviction m'a conduit à prendre position, sans ambiguïté, en faveur des dessinateurs qui ont fait scandale par leurs caricatures du Prophète. Je ne peux guère être suspecté de connivence avec une corporation dont le moins que l'on puisse dire est qu'elle ne m'a jamais ménagé. J'ai été caricaturé dans tous les sens et sur tous les sujets. Ma vie privée, mon physique, mes propos, ma politique. Tout y est passé. Pas toujours de façon élégante. J'en ai parfois été blessé.

Mais, aussi excessive soit-elle, la caricature est utile à la démocratie. Elle contraint celui qui est aux responsabilités à garder les pieds sur terre. Elle résume souvent l'actualité ou un tempérament de façon utile. Elle incarne un espace de liberté que la démocratie regretterait beaucoup si on l'entravait. Il ne peut y avoir de sujets tabous. Car alors la liste serait bien longue des « statues » à ne point renverser. Je crois en Dieu, il m'arrive de pratiquer, mais les religions, comme le pouvoir, doivent savoir accepter critiques, caricatures et dérision. Cela est valable pour toutes les religions, y compris pour la dernière arrivée en France : l'islam, qui ne peut prétendre être à égalité de droits avec les autres sans être à égalité de devoirs. Ce qui serait au fond le plus irrespectueux pour les musulmans, ce n'est pas quelques caricatures moquant le Prophète comme elles moquent le Christ. Ce qui serait irrespectueux, ce serait de considérer les musulmans de France comme des citoyens différents des autres !

Depuis 2002, j'ai été très souvent caricaturé dans mes idées.

Ainsi, je demande que les pouvoirs publics s'investissent davantage au profit de l'insertion des jeunes issus de l'immigration, afin que le repli communautaire ne prospère pas grâce aux défaillances de l'État : me voici accusé de vouloir favoriser le communautarisme.

Je propose un projet d'immigration choisie, c'est-à-dire un projet qui reconnaît explicitement les bienfaits de l'ouverture pour un pays comme le nôtre, une première depuis trente ans : me voici accusé de lepénisation des esprits.

Je remarque que nul n'est obligé de demeurer en France, que lorsque l'on est accueilli quelque part, on doit respecter et si possible aimer ceux qui vous accueillent : me voici accusé de xénophobie. Rien que cela.

Je demande que les comportements violents des jeunes soient détectés et pris en charge le plus tôt possible : me voici accusé de criminaliser les enfants de trois ans.

Les choses sont tellement plus simples. Pour prendre ce seul exemple, chacun sait que, dans nos cours de récréation, il y a des enfants anormalement violents à un âge de plus en plus jeune. Aucun parent, aucun enseignant ne peut sérieusement soutenir qu'il ne sait pas faire la différence entre un enfant vif, pétulant, communicatif, chahuteur même, et un enfant qui ne s'exprime qu'en frappant ses camarades, voire ses professeurs. J'ai suffisamment de bon sens pour savoir qu'un enfant anormalement violent ne sera pas nécessairement un délinquant. Je n'ai jamais proposé le fichage des enfants. Ce que j'affirme en revanche, c'est qu'un enfant de trois ans qui est violent est un enfant qui doit être pris en charge. La seule chance d'être efficace, c'est d'agir le plus en amont possible. Que cet enfant soit victime chez lui de mauvais traitements ou qu'il traverse des difficultés particulières, il faut comprendre les causes de sa souffrance. Le devoir de la société, de l'école, de la protection maternelle et infantile, de la médecine scolaire, est de lui porter assistance et pour cela de le repérer et de s'en occuper. Quant au risque que des souffrances non traitées deviennent plus tard un facteur de délinquance, c'est malheureusement une réalité établie. Nombre de délinquants, en particulier en matière sexuelle, ont été eux-mêmes frappés ou violés dans leur enfance, victimes avant de devenir bourreaux. La bande de barbares qui a torturé à mort Ilan Halimi était déjà connue au collège à l'âge de quinze ans pour des comportements violents. Qui a cherché à comprendre cette violence, qui a essayé de leur parler, de leur proposer une réponse qui aurait pu éviter la spirale de la barbarie ? Hélas personne. Je ne sais si mes idées sont toutes justes, mais je sais que la situation actuelle est toute fausse.

Il y a cinquante ans, la médecine scolaire faisait bien son travail en s'occupant du poids, de la taille, de la vue, de l'audition des élèves. Aujourd'hui, alors que l'immense majorité des enfants est suivie par un médecin de famille, on en attend davantage. La médecine scolaire doit s'impliquer massivement dans la prévention, le parent pauvre de nos politiques de santé publique. Prévention de l'obésité, prévention des comportements addictifs, prévention des risques encourus par l'excès d'exposition au soleil, information des jeunes sur les bonnes pratiques médicales comme la consultation régulière du dentiste et de son médecin généraliste, incitation à la pratique sportive... Nous avons tout à y gagner : moins de dépenses de soins et une meilleure santé pour nos concitoyens. Et cette même médecine doit veiller à dépister, soigner, suivre, évaluer les troubles du comportement, aussi bien pour empêcher la dérive vers des situations incurables que pour prévenir le suicide des adolescents, dont la fréquence est dramatiquement élevée dans notre pays. C'est tous les jours que des faits divers toujours plus douloureux et plus violents nous invitent à la réflexion et surtout à l'action. À Evry, un jeune de seize ans a été assassiné par un autre du même âge. Deux vies brisées. Pourquoi ? On proteste du risque de stigmatisation. Je ne comprends pas cet argument. Tout le monde le constate : plus de violence, plus de très jeunes fascinés par cette violence. On ne peut rester les bras croisés. Quels risques prend-on à agir ? Aucun ! Quels risques prend-on à continuer comme si de rien n'était ? Tous !

Je ne suis pas sûr que l'on mesure toujours l'énergie que je dois déployer pour préciser, rectifier, convaincre et essayer au final d'avancer. Mais si je subis tant de caricatures, c'est que je m'attaque à beaucoup de vaches sacrées ! Peu m'importe alors la caricature si, à l'arrivée, la société française accepte de faire mouvement. C'est bien l'enjeu : remettre la France en mouvement !

Les ZEP, reconnaître l'insuffisance, proposer d'autres solutions

La question des zones d'éducation prioritaire est une autre illustration exemplaire des difficultés de la pensée autorisée à réagir autrement que par la caricature, la dénonciation et l'indignation à toute tentative de penser et d'agir autrement.

À la fin du mois de novembre 2005, très peu de temps d'ailleurs après la fin de la crise des banlieues, j'ai déclaré qu'il fallait « déposer le bilan » des ZEP. C'était en conclusion de la convention de l'UMP sur les injustices. L'expression était incisive. Mais au moins elle était claire. Ce fut une levée de boucliers, à gauche comme à droite. On m'accusa de vouloir supprimer les moyens supplémentaires dont bénéficient les ZEP, bien que je n'ai rien dit de pareil. On m'accusa de vouloir en donner moins à ceux qui ont déjà si peu, comme si j'étais assez primaire pour penser que c'est à Henri IV ou à Louis-le-Grand qu'il faut mettre les priorités de l'Éducation nationale.

On m'accusa de dénigrer le rôle de l'éducation et de la formation dans l'égalité des chances et la promotion sociale. Je pense exactement l'inverse. J'estime que l'une des principales causes de l'échec des ZEP, c'est qu'on y a abaissé le niveau des exigences alors qu'il fallait l'augmenter. Un enfant de cadres ou d'enseignants a tout ce qu'il faut dans son environnement familial pour se forger un bagage intellectuel et culturel. En revanche, c'est à l'école qu'un enfant issu d'un milieu social défavorisé peut avoir la chance de croiser la route de nos grands écrivains, de nos grands philosophes, de prendre conscience de l'importance de l'histoire, de découvrir qu'au bout de l'effort nécessaire pour entrer dans les sciences exigeantes, il y a aussi du plaisir. Cette forme de rudesse, cette rigueur avec tous les élèves, filles et garçons, enfants de médecins, de paysans ou d'ouvriers, cette conviction que c'est par l'exigence qu'on tire le meilleur de l'enfance, pas par la facilité, fit le succès des instituteurs de la troisième République.

Enfin, scandale suprême, en m'en prenant aux ZEP, je dénigrais « les milliers d'enseignants qui font dans ces établissements un travail remarquable avec un dévouement admirable ».

Malheureusement, les faits sont là, implacables, résistants : la politique des ZEP a échoué. Créée en 1982, elle devait durer quatre ans. Vingt-trois ans plus tard, il existe plus de sept cents ZEP ! Le niveau des élèves y est très inférieur à celui des autres établissements. Cette différence de résultats ne vient pas seulement du fait que les enfants scolarisés en ZEP ont en moyenne plus de difficultés que les autres. En effet, l'écart de niveau s'accroît avec le temps. Les difficultés d'insertion professionnelle des jeunes issus des quartiers sont majeures, il n'est guère besoin de le souligner. Enfin, les ZEP sont devenues des ghettos scolaires. Les familles informées, ou qui ont les moyens, les évitent, ce qui aboutit à concentrer ensemble les élèves qui ont le plus de difficultés alors qu'il faudrait au contraire les disperser. Osons même dire les choses jusqu'au bout : d'une part, les enseignants de ZEP sont les plus jeunes et les moins expérimentés et le taux de rotation y est beaucoup plus élevé qu'ailleurs. D'autre part, très peu d'enseignants de ZEP scolarisent leurs enfants en ZEP. Si les ZEP étaient ce succès éducatif que j'ai eu l'audace de critiquer, on y stabiliserait les enseignants et on y trouverait leurs enfants.

Dire cela n'enlève rien au mérite de tous ceux qui enseignent en ZEP. Ce n'est pas leur dévouement ou leur compétence qui sont remis en cause. Cela n'enlève rien non plus au succès de certains établissements, comme ce lycée de Saint-Ouen-l'Aumône dans le Val d'Oise qui mène une politique remarquable de réussite pour tous ses élèves, en coopération notamment avec Sciences-Po et l'Essec. Mais au prix de quelle détermination, de quels efforts de la part des enseignants, de l'équipe de direction, des services académiques pour changer les habitudes, avoir le courage d'innover, trouver des partenariats ! Ce qui est en cause, c'est la manière dont la politique des ZEP a été mise en œuvre au fil du temps, rien d'autre.

Les moyens supplémentaires accordés aux ZEP ont été insuffisants (1,2 % du budget de l'Éducation nationale pour une politique prioritaire – il faut oser – concernant 20 % des élèves) et saupoudrés sur trop d'établissements. Surtout, ces moyens servent quasi exclusivement à réduire le nombre d'élèves par classe (22 élèves contre 24 dans les établissements hors ZEP), une réduction uniforme et beaucoup trop faible pour qu'elle ait de l'influence sur la réussite des élèves. C'est à moins de 15 élèves par classe que la réduction des effectifs commence à avoir une portée. Les facteurs de la réussite scolaire sont connus : l'environnement familial ; les conditions de logement, en particulier le fait d'avoir une chambre individuelle ; la mixité sociale ; enfin et surtout les qualités pédagogiques des enseignants. Les ZEP, telles qu'elles sont mises en œuvre depuis vingt-cinq ans, ne s'attaquent à aucun de ces facteurs.

Mon ambition n'est pas de supprimer l'éducation prioritaire, qui est indispensable. Mais elle ne se borne pas, non plus, à lui consacrer plus de moyens qui aboutiront aux mêmes échecs si nous ne changeons pas nos méthodes. Plutôt que de raisonner par zone stigmatisante, plutôt que de concentrer tous nos moyens sur la réduction uniforme des effectifs par classe, je veux qu'on élargisse la palette de nos outils et qu'on raisonne par enfant, comme aux Pays-Bas ou comme en Suède. Les moyens de la politique d'éducation prioritaire doivent servir à donner à chaque enfant qui en a besoin, qu'il soit ou non d'ailleurs scolarisé dans une ZEP, un accompagnement adapté à ses difficultés. Ce ne sont pas les idées qui manquent : prise en charge précoce et renforcée entre dix-huit mois et quatre ans, parce que c'est à cet âge que s'acquiert une bonne partie des capacités cognitives ; soutien scolaire ; tutorat ; internats d'excellence pour être plus au calme le soir... Et tant d'autres solutions encore.

Je souhaite aussi que nous encouragions les établissements privés sous contrat à s'implanter dans les quartiers défavorisés. Ils le demandent. Ils ont des projets. Tout est fait depuis de longues années pour les en dissuader. Qu'on le veuille ou non, qu'on le déplore ou non, les établissements privés d'enseignement sont actuellement prisés par les familles. Les listes d'attente sont importantes. Les parents y sont rassurés par une présence plus forte de l'encadrement et par leur meilleure association au devenir scolaire de leur enfant.

Le projet socialiste pour 2007 propose de moduler les moyens alloués à l'enseignement privé en fonction du degré de mixité sociale des établissements. Qu'il s'agisse de primes pour les établissements suffisamment mixtes aux yeux des socialistes ou de sanctions pour les établissements trop privilégiés, cela revient de fait à punir les établissements où la mixité sociale est insuffisante. Les mêmes que l'on a dissuadés, voire empêchés par la fameuse règle des 80/20, de s'implanter dans les quartiers défavorisés vont maintenant être sanctionnés pour ne pas l'avoir fait ! La règle tacite des 80/20 est issue des accords de 1984 entre l'enseignement catholique et le gouvernement socialiste de l'époque. Elle consiste à bloquer les crédits de l'enseignement privé à 20 % de l'enseignement total primaire et secondaire français, ou à tendre vers cette répartition dans les académies où l'enseignement libre est historiquement plus important (en Bretagne par exemple). Sa déclinaison rigoureuse au niveau local n'a guère de sens : dans les endroits où il y a une forte demande en faveur de l'enseignement libre, elle aboutit à priver des parents de la possibilité de scolariser leurs enfants dans ces établissements, alors que, dans d'autres endroits, la demande en faveur du privé peut ne pas suffire à remplir toutes les places.

En fait, au lieu de chercher à comprendre les raisons du succès actuel de l'enseignement privé pour les appliquer à l'enseignement public dans la mesure où c'est possible, au lieu de permettre à tous les Français, en particulier ceux qui sont défavorisés, d'avoir accès à l'enseignement privé pour leurs enfants s'ils le souhaitent, au lieu finalement d'encourager ce qui marche, les socialistes préfèrent le punir. C'est malheureusement devenu une habitude : prendre ce qui marche et le détruire. Je propose, à l'inverse, que l'on prenne ce qui marche, et qu'on le rende accessible à tous.

Chapitre IV

Le meilleur modèle social, celui qui donne un travail à chacun

Notre fameux modèle social est certainement l'un des tabous que nous aurons le plus de difficulté à briser. Espérons que nous y parviendrons, plutôt que celui-ci ne s'effondre sur lui-même comme un château de cartes.

Nous avons pris l'habitude de nous en enorgueillir, allant même jusqu'à le proposer en exemple au monde entier. Sur le papier, il est incontestablement parfait. Le code du travail est épais. Les conditions de licenciement sont rigoureuses. Les salariés sous contrat à durée indéterminée sont relativement protégés. Il existe des minima sociaux pour ceux qui traversent une période difficile. Le système fiscal et les prestations sociales assurent un niveau non négligeable de redistribution. La solidarité est forte à l'égard des retraités et des personnes malades. Nos services publics sont de bonne qualité, nos routes sont magnifiques, l'école est gratuite et notre système de soins est parmi les meilleurs du monde. Bref, la France est un espace de liberté, de prospérité et de solidarité que le monde nous envie.

Preuve en est, entend-on d'ailleurs souvent, que la France attire beaucoup de capitaux étrangers. « Les impôts qui pèsent sur les entreprises sont plus élevés, mais la qualité de vie est tellement supérieure », telle est la *doxa* officielle. J'observe pour ma part que 46 % du capital des sociétés du CAC 40 appartiennent à des investisseurs étrangers – notamment des fonds de pension – et qu'une partie significative des capitaux étrangers investis chaque année en France servent à racheter des sociétés françaises qui sont ensuite dépecées ou transférées ailleurs. Depuis le rachat de Pechiney par Alcan, la plupart des centres de décision de cette entreprise ont été transférés au Canada. En dix ans, 9 000 sociétés françaises sont passées sous pavillon étranger alors que 650 filiales étrangères sont devenues françaises. Un salarié sur sept (hors finance et administration) travaille en France dans un groupe étranger, contre un sur dix en Allemagne, au Royaume-Uni ou aux Pays-Bas et un sur vingt aux États-Unis. À l'évidence la France manque de capitaux français pour investir dans l'économie française et je ne suis pas sûr que le niveau des investissements étrangers en France ne reflète pas davantage notre fragilité économique que notre attractivité. Au surplus, il y a deux fois plus de capitaux français qui sortent de notre pays que d'investissements étrangers qui y entrent. La France perd progressivement de la substance.

On voit où mène la politique systématique menée par tant de gouvernements de gauche et parfois de droite pour décourager la création ou même la détention de richesses en France. Notre originalité fiscale, qui fait peser sur les facteurs les plus mobiles de production, le capital et les salariés très qualifiés, des taux très élevés d'imposition, a conduit à la quasi-disparition du capitalisme familial et fait la fortune de la Belgique, de la Suisse ou de l'Angleterre qui n'en reviennent toujours pas d'une telle aubaine que celle de la venue sur leur territoire des Français les plus fortunés. L'égalité ne doit pas conduire à ce que tous nous devenions pauvres, mais à ce que chacun puisse espérer devenir riche ou au moins assurer la promotion sociale de sa famille.

Il y a quelques mois encore, émettre des doutes sur notre modèle social choquait. Le président de la République lui-même, lors de son interview du 14 juillet, se voyait tenu de corriger le tir. « Le modèle social français n'est ni inefficace, ni périmé ». Car s'en prendre au modèle social, c'était s'en prendre à l'identité nationale !

Aujourd'hui, les Français ne se font guère plus d'illusions.

Depuis 1984, c'est-à-dire depuis plus de vingt ans, presque une génération, le taux de chômage oscille autour de 10 %. Il augmente en période de récession, se réduit un peu en période de croissance, mais ces variations sont purement conjoncturelles et ne parviennent pas à mordre sur le noyau dur du chômage. Il ne s'agit pas d'une fatalité qui serait liée à la situation des économies européennes : une bonne partie de nos partenaires européens ont en effet renoué avec le plein-emploi, le Royaume-Uni bien sûr, mais également les Pays-Bas et les quatre pays scandinaves. Le meilleur modèle social, c'est celui qui donne un travail à chacun, ce n'est donc plus le nôtre puisque nous avons deux fois plus de chômeurs que nos principaux partenaires. Une fois encore, je ne veux pas choquer pour le plaisir, mais aider à une prise de conscience qui devient urgente.

Le risque de chômage ressenti par les Français est d'ailleurs bien supérieur à 10 %. Si l'on ajoute au nombre officiel des chômeurs, tous ceux qui sont artificiellement sortis des statistiques du chômage (inscrits à l'ANPE, mais dans des catégories non comptabilisées comme du chômage, bénéficiaires du RMI non inscrits à l'ANPE, seniors dispensés de rechercher un emploi, contrats aidés) et si l'on isole le secteur public (5,2 millions de fonctionnaires et personnes assimilées) pour lequel il n'y a pas de risque de chômage, on aboutit en réalité à un taux de chômage de 20 %. Il faut rapporter en effet le nombre de chômeurs à la taille du marché sur lequel ils cherchent un travail, c'est-à-dire à la taille de l'emploi privé. C'est ce qui explique ce sentiment important de précarité.

Le paradoxe est intéressant. Jamais on n'a autant parlé de la précarité. Mais on en parle comme si c'était un risque pour l'avenir. Et donc on s'accroche à la réalité d'aujourd'hui, que l'on veut conserver à tout prix en privilégiant l'immobilisme. Mais c'est maintenant que la précarité est une réalité et le changement est la seule arme si l'on veut la faire reculer. J'insiste, le meilleur allié de la précarité est le conservatisme. Seule la réforme est l'instrument des nouvelles protections dont les salariés ont besoin.

Depuis vingt ans également, la situation des salariés s'est dégradée. Non pas d'abord à cause de ce « capitalisme financier » vilipendé par Laurent Fabius, ou à cause de cette « mondialisation ultra-libérale » dénoncée par les cryptocommunistes et autres altermondialistes, mais tout simplement parce qu'avec un tel taux de chômage, les salariés sont en position de faiblesse par rapport aux employeurs. Le nombre de salariés titulaires d'un contrat de travail précaire atteint aujourd'hui 3 millions et plus de 70 % des embauches ont lieu sous cette forme. Les rigidités du droit du travail et du licenciement incitent les entreprises à privilégier ce type de recrutement. Les femmes sont les plus concernées. Elles représentent 80 % des salariés à temps partiel, 80 % des salariés en situation de travail précaire (intérim et CDD), 80 % des travailleurs pauvres. Les salaires et le pouvoir d'achat stagnent. Plus de la moitié des Français gagnent moins de 1 500 euros par mois. L'augmentation régulière du SMIC par décision publique, alors que les autres salaires n'évoluent pas, fait que mécaniquement un nombre croissant de salariés est rémunéré au SMIC. Ces salariés ont le sentiment de régresser sur l'échelle sociale. En dix ans (1993-2004), le pourcentage de salariés rémunérés au SMIC a doublé, passant de 8 à 16 % des salariés.

Enfin, au niveau le plus avancé des difficultés sociales, la France compte 1,1 million d'enfants pauvres, 3,5 millions de personnes titulaires d'un minimum social, 6 millions si l'on ajoute les ayants droit. 13 % des femmes retraitées vivent en dessous du seuil de pauvreté et 25 % à peine au-dessus. 50 % des titulaires de minima sociaux sont encore dans cette situation trois ans plus tard et 30 % cinq ans plus tard. Aux exclus, notre société donne de quoi survivre, et encore. Elle ne donne pas de quoi sortir de l'exclusion et vivre de ses propres ailes. Quel gâchis ! Certains publics et certains territoires sont dans des situations très difficiles, que le taux moyen de chômage ne suffit pas à décrire. Le taux de chômage des non-qualifiés est de 15 %. Il est de plus de 20 % dans les territoires frappés par la désindustrialisation et dans les zones urbaines sensibles. Il est de 22 % pour les jeunes de moins de vingt-cinq ans et frôle 40 % pour les jeunes non qualifiés et les jeunes vivant dans les zones urbaines sensibles. Jacques Chirac a fondé sa campagne de 1995 sur cette fracture sociale, cette pauvreté récurrente, ces misères humaines enracinées, avec le succès que l'on sait. Le diagnostic était le bon. Les remèdes étaient-ils à la hauteur de la gravité de la situation ? On peut en douter.

Des inégalités nouvelles se développent devant les risques de l'existence et la capacité de regarder l'avenir avec confiance : inégalités entre ceux qui peuvent encore être propriétaires de leur logement et ceux qui ne peuvent plus ; inégalités entre ceux qui sont soumis à un risque élevé de chômage et ceux qui en sont protégés ; inégalités entre ceux qui ont un emploi à durée indéterminée et ceux qui vont de petits boulots en contrats précaires ; inégalités entre ceux qui ont un bon diplôme qui leur garantit à peu près un emploi pour la vie et ceux qui n'ont pas eu cette chance au bon moment et qui ne pourront jamais rattraper le temps perdu, ou très difficilement ; inégalités entre ceux qui sont assez informés ou ont assez de relations pour être inscrits dans le bon lycée, fréquenter le bon hôpital ou obtenir un logement social, et ceux qui ignorent les bons filons pour s'en sortir dans notre société bloquée et immobile ; sans parler de cette inégalité majeure entre nos compatriotes qui ont encore un espoir et tous ceux qui n'en ont plus.

Au-delà de ces performances sociales si médiocres, les Français savent aussi que nos services publics, notre système de santé, nos régimes de solidarité reposent sur une bombe à retardement financière : notre dette publique. La réforme de 2004 de l'assurance-maladie a permis de limiter la croissance des dépenses de santé, mais pour combien de temps ? Le système n'a toujours pas trouvé les moyens de garantir sa pérennité financière. Or, les dépenses de santé sont condamnées à augmenter au cours des prochaines années sous l'effet du vieillissement et du progrès technique. Est-ce un mal d'ailleurs ? Demain, nous aurons des traitements de pointe, prodigieusement chers, pour soigner le cancer, les maladies génétiques, retarder peut-être les maladies neurodégénératives. Ce sont des espoirs formidables. Serons-nous au rendez-vous financier pour pouvoir nous les offrir et en faire bénéficier tous les Français ? Voilà un challenge majeur, un vrai défi pour la solidarité.

En cédant tout ou partie des parts qu'il détenait dans des entreprises publiques, l'État a récupéré 82 milliards d'euros (non actualisés) depuis 1986 et il lui en reste entre 110 et 125 selon les évaluations, EDF compris. Même en vendant tous les « bijoux de famille », nous serions donc très loin des sommes nécessaires au remboursement de notre dette qui s'élève à 1 100 milliards. Seule la croissance peut nous tirer d'affaire.

Je crois d'ailleurs qu'il y aurait une bien meilleure utilisation à faire de cet argent. L'État a un besoin urgent que l'on investisse dans sa restructuration et dans sa modernisation. Or chacun sait bien que celles-ci, avant d'économiser de l'argent, en coûteront. Aucune industrie, aucune entreprise n'a pu conduire de restructuration sans investir au préalable des moyens importants. Pourquoi en irait-il différemment pour l'État ? Je ne verrais que des avantages à la création d'un budget spécifique distribué aux ministères s'engageant dans des opérations de restructuration lourde, et seulement à eux. Seraient ainsi échangées économies de fonctionnement contre crédits d'investissement. Ce budget serait alimenté par le fruit de privatisations que nous pourrions entreprendre. Il serait en effet vertueux que l'argent issu de la privatisation de grandes entreprises publiques serve à la modernisation de l'État et non pas au financement de dépenses courantes. Ce budget pourrait être géré directement par le secrétaire général de l'Élysée. Je ne crois pas pertinent de demander au Premier ministre de mener lui-même la réforme de l'État. Cela revient en effet à lui conseiller de se couper un bras !

Au total, nous affichons les indicateurs des pays anglo-saxons en termes d'inégalités et de pauvreté, la mobilité sociale et le plein-emploi en moins, en même temps que les niveaux de dépenses publiques et de prélèvements obligatoires des pays scandinaves, le chômage et les déficits en plus. Nous cumulons les inconvénients des deux systèmes sans en connaître les avantages. Efficace, le modèle social français ? Les Français n'y croient plus.

La nécessité de nous remettre en cause

Jamais notre société n'a autant parlé de la justice alors qu'elle n'a jamais admis dans les faits autant de grandes injustices. Jamais elle n'a autant ponctué ses discours, ses plans ou ses lois, du mot « social » – cohésion sociale, justice sociale, pacte social – alors qu'elle n'a jamais fait aussi peu pour l'équité. La réalité de notre système est qu'il protège ceux qui ont quelque chose et qu'il est très dur avec ceux qui n'ont rien.

Le moment est venu de faire une analyse lucide de notre modèle économique et social, non pour le détruire, mais pour le refonder et au final l'améliorer.

Notre pays est-il trop chiche en dépenses sociales ? Jamais nous n'avons autant dépensé dans le domaine social – nos dépenses sociales sont passées de 20 % à 33 % du PIB entre 1980 et aujourd'hui –, et jamais nos résultats n'ont été aussi insuffisants. Nous devons briser ce cercle vicieux qui consiste à tirer argument de la faiblesse des résultats obtenus pour conclure à la nécessité d'accroître, toujours et encore, les moyens consentis. Sans une profonde remise en cause de notre manière de voir et d'agir, la multiplication des dépenses et l'accumulation des déficits et de la dette ne changeront rien à nos performances. Il ne s'agit pas là d'une opinion dictée par un parti pris idéologique. C'est l'analyse des faits qui commande ce constat.

Notre pays est-il excessivement libéral ? Il a le taux de prélèvements obligatoires et le taux de dépenses publiques en pourcentage du PIB les plus élevés de tous les grands pays industrialisés, le droit du travail le plus protecteur, un des régimes de protection sociale le plus développé.

Notre pays est-il victime de la mondialisation ? Nos difficultés économiques et sociales sont hélas largement antérieures au début de la mondialisation. Elles s'aggravent constamment depuis 1981, une époque où Moscou faisait encore la loi à Varsovie. Notre taux annuel de croissance économique perd un demi point tous les dix ans (2,5 % par an en moyenne au cours des années 1980, puis 2 % dans les années 1990, puis 1,5 % depuis l'année 2000). Autrefois supérieur à la croissance mondiale, le taux de croissance de l'économie française lui est systématiquement inférieur depuis 1990. En 2004, la croissance mondiale a atteint son plus haut niveau depuis vingt ans (5,1 %) et elle a encore été de 4 % en 2005 contre 1,6 % en France. Notre commerce extérieur, qui a longtemps été une de nos forces, est dans une situation très préoccupante qui ne résulte pas de l'augmentation du prix du pétrole, mais du positionnement insuffisamment qualitatif de nos produits. L'Allemagne, qui subit les mêmes contraintes économiques extérieures que nous, avec la même monnaie et une dépendance énergétique plus forte, a connu un excédent record de sa balance commerciale en 2005, l'année où notre déficit était pour sa part historique (26,4 milliards d'euros contre 8,3 milliards d'euros en 2004).

C'est en interne que se trouvent nos difficultés. Plus de 60 % de nos emplois ne sont d'ailleurs pas exposés à la mondialisation (commerces ; artisanat ; tourisme ; agriculture ; environnement ; services de proximité ; services à la personne ; transports ; énergie ; santé ; services publics...). Celle-ci ne nous empêche ni de rendre l'État plus efficace, ni de moderniser le service public de l'emploi, ni de réformer l'Éducation nationale, ni d'augmenter notre effort de recherche, ni de mettre en place une autre politique de la ville...

Entre 1980 et 2004, la France est passée de la sixième à la dix-septième place au sein de l'OCDE en termes de PIB par habitant, c'est-à-dire en termes de niveau de vie. Chaque Français s'est ainsi appauvri par rapport aux ressortissants des autres pays développés. Des pays qui étaient loin derrière nous, l'Irlande, l'Autriche, les Pays-Bas, la Belgique, le Royaume-Uni, la Finlande sont désormais devant. J'entends déjà les théoriciens de la nonchalance, isolés, mais bruyants depuis leurs bergeries du Larzac, et les professionnels de l'optimisme d'État, aveuglés par l'artifice des palais nationaux, prétendre que le niveau du PIB par habitant est un critère purement économique qui ne reflète pas tout ce qui fait la richesse d'un pays. Qu'importent selon eux des performances économiques moyennes si un climat social plus humain, des équipements publics de qualité ou un art de vivre apportent une compensation ? Ce qui compte est la qualité de la vie. Prenons alors comme critère l'indicateur du développement humain (IDH) calculé chaque année par l'ONU. Cet indicateur combine et pondère trois critères : le niveau de vie (PIB par habitant), la santé et la longévité (espérance de vie des habitants à la naissance) et le savoir (taux d'alphabétisation des adultes et taux de scolarisation dans le primaire, le secondaire et le supérieur). Pour le coup, il s'agit de critères sociaux sans aucune contestation possible. Selon cet indicateur, la France est passée, dans le classement international des nations, de la huitième place à la seizième entre 1990 et 2003. La conclusion est hélas sans appel.

Je ne dis pas cela pour choquer ou pour polémiquer. Je le dis parce qu'il nous faut regarder cette vérité en face et arrêter de nous bercer d'illusions. Nous reculons dans la hiérarchie des grandes nations. Voilà qui n'est pas plaisant. Mais il y a une raison à cela : nous faisons moins d'efforts que les autres pour nous adapter, nous moderniser, nous remettre en cause. Voilà qui est rassurant, nous savons ce qu'il convient de faire pour redresser la barre. Il n'y a plus aucune excuse pour refuser d'avancer.

La vérité, c'est que depuis trente ans notre pays a affaibli sa capacité à créer des richesses (les économistes diraient qu'il a réduit son potentiel de croissance), accumulé les difficultés sociales à prendre en charge et qu'il ne sait plus aujourd'hui aider personne parce qu'il doit aider tout le monde.

La réussite et l'initiative découragées
Comment en est-on arrivé là ?

En différant les réformes qu'il fallait faire : celle de l'État qui coûte trop cher sans toujours être efficace ; celle de la protection sociale qui gaspille trop d'argent. Entre 10 et 15 % des dépenses d'assurance-maladie résultent de fraudes et d'abus. Si nous les supprimions, il n'y aurait plus de déficit de l'assurance-maladie ; celle de l'enseignement supérieur et de la recherche dans un contexte international où le savoir et l'innovation jouent un rôle déterminant.

En la matière, notre retard s'accumule à grands pas. Dans le classement international des universités effectué par cette université de Shanghaï, la première université française se classe au 46ᵉ rang mondial. Et l'École polytechnique, le fleuron de notre système d'enseignement supérieur, l'école dont nous sommes le plus fiers, se classe pour sa part entre la 203ᵉ place et la 300ᵉ (après la 100ᵉ place, les établissements sont seulement classés par groupe, et, au sein des groupes, par ordre alphabétique). Voici donc notre école, celle qui ouvre chaque année le défilé du 14 Juillet, modestement référencée parmi 100 autres établissements qui nous sont tous plus inconnus les uns que les autres !

Depuis vingt-cinq ans, la France ne cesse ensuite de décourager l'initiative et de punir la réussite. Empêcher les plus dynamiques de s'enrichir a pour conséquence première d'appauvrir tous les autres. À force de vouloir l'égalitarisme pour chacun, on finit par pénaliser tout le monde. Valéry Giscard d'Estaing rapporte, dans *Les Français, réflexions sur le destin d'un peuple*, sa légitime stupéfaction lorsque François Mitterrand, à l'occasion d'une visite à Clermont-Ferrand en 1984, lui indiqua : « Mon objectif, c'est de détruire la bourgeoisie française ! ». Mais qu'est-ce qui justifie tant de haine sinon celle de la réussite et du mérite ? Le rêve des socialistes, c'est une société de smicards. Mon rêve, c'est une société où celui qui travaille progresse dans l'échelle sociale et où celui qui veut travailler est aidé à trouver un emploi pour exaucer son vœu de promotion sociale.

Notre problème avec l'argent va d'ailleurs bien au-delà. Nous assistons à un double phénomène de diabolisation et de déification. Pour les uns, l'argent n'est que corruption. Corruption du sport, de la politique, des affaires en général. Il achète tout, travestit tout, détruit tout. François Mitterrand avait habilement capitalisé sur ce thème de « l'argent honni ». Pour les autres, l'argent serait l'expression du bonheur. Permettant tout, offrant tout, facilitant tout. Sa recherche finissant par devenir obsessionnelle. Ces attitudes extrêmes et pas forcément contradictoires traduisent une gêne vis-à-vis de la réussite matérielle. Au lieu d'être exemplaire et de servir de référence, elle est bien souvent comprise comme suspecte, étrange, au final illégitime.

Il nous faut dédramatiser l'échec qui ne doit pas être définitif, et encourager les réussites individuelles qui tirent toute la société vers le haut. L'argent n'est que la récompense légitime d'un surcroît de travail ou d'une prise de risques. Il est un moyen de créer d'autres richesses qui permettront plus de croissance et donc plus d'emplois. L'idéologie persistante à propos de l'argent et de la réussite ne conduit qu'à l'appauvrissement, au nivellement et à l'égalitarisme. Rien en somme qui puisse satisfaire la morale ou le souci de l'efficacité. Dans ce domaine aussi, il va nous falloir évoluer.

Depuis vingt-cinq ans, dans un contexte de contraction de nos richesses, nous refusons de faire des choix. À force de promettre d'aider tout le monde, on aboutit au résultat de ne plus aider réellement personne. La prime pour l'emploi en est à mes yeux le meilleur exemple. Distribuée à pas moins de 8 millions de bénéficiaires, elle a fini par perdre sa signification, le saupoudrage des crédits ne faisant au bout du compte que des mécontents.

Nous sommes englués dans la création et l'application de statuts : statut du rmiste, statut de la mère isolée, statut du chômeur en fin de droits, statut du jeune, statut de la personne handicapée, statut de l'enseignant, statut de l'artisan, statut du fonctionnaire... Nos services sociaux passent leur temps à déterminer qui a droit à quoi, qui va dans telle ou telle case, alors qu'il faudrait passer du temps à s'intéresser aux personnes dans la spécificité de leurs problèmes. Par exemple, l'un des obstacles qui empêchent beaucoup de mères seules de reprendre un emploi est l'insuffisance de leurs moyens pour faire garder leurs enfants. Qu'attend-on pour les aider individuellement à résoudre ce problème ou pour leur réserver des places en crèches ?

Nous devons passer de la justice virtuelle ou théorique à la justice réelle et concrète. Et pour cela nous devons impérativement apprendre à faire des choix et à les assumer. Acceptons la remise en cause de certaines de nos habitudes. Tout le monde n'a pas le droit à la même solidarité car il en est qui, sur la ligne de départ de la vie, partent de plus loin. Ils doivent donc être davantage soutenus. Choisir, c'est donner plus à ceux qui cumulent le plus de handicaps. Entre un salarié d'une entreprise qui se délocalise et le titulaire d'un emploi administratif dont le statut garantit la pérennité à vie, je considère que c'est le premier qui doit pouvoir compter sur la plus large solidarité. C'est le changement que j'appelle de mes vœux, celui d'une discrimination positive à la française où certains territoires comme certains publics seraient en droit d'être davantage soutenus que les autres.

Les classes moyennes abandonnées

Depuis la fin des Trente Glorieuses, nous avons progressivement cessé d'avoir une politique sociale pour les classes moyennes. C'est une erreur, car ce sont les classes moyennes qui font la prospérité d'une économie et la mobilité d'une société. À ce titre, elles devraient être le cœur de toute politique. Les classes moyennes sont le noyau dur des familles. Leur enrichissement permet à la société dans son ensemble de progresser. La fragilité actuelle de notre société, la cause du pessimisme généralisé, vient du fait qu'au seuil de ce nouveau siècle, les classes moyennes ont rejoint les plus défavorisés dans la désespérance. Toujours assez riches pour payer des impôts, jamais assez pauvres pour percevoir des prestations, nos classes moyennes ont un problème de sécurité dans l'emploi, de pouvoir d'achat, d'accès à la propriété de leur logement, de formation supérieure, d'insertion professionnelle et d'installation dans la vie de leurs enfants, tout simplement de confiance dans l'avenir. On leur a demandé d'être de plus en plus qualifiées. Elles n'ont pas eu pour autant le sentiment de progresser sur l'échelle sociale. Et de fait, elles n'ont pas progressé. Quand les classes moyennes stagnent, c'est toute la société qui est bloquée, sclérosée. La mobilité résidentielle est plus lente. Les logements changent moins souvent d'habitants, empêchant les plus jeunes de s'installer et les plus nécessiteux d'accéder aux HLM. Ceux qui sont en dessous ne peuvent plus tenter aussi leur chance, et de grandes inégalités se creusent entre quelques-uns qui deviennent très riches et l'immense masse de ceux dont la situation ne s'améliore pas et finalement régresse.

Je n'ai pas partagé l'esprit de la campagne présidentielle de Jacques Chirac en 1995, indépendamment du fait qu'Édouard Balladur n'ait pas franchi le cap du premier tour. Non pas que je sois favorable à la fracture sociale ou contre l'aide aux plus défavorisés, ce qui n'aurait aucun sens. Mais bâtir un projet présidentiel sur la partie la plus en difficulté de la société, la moins dynamique, ne permet pas de déclencher un élan mobilisateur pour franchir une nouvelle étape. C'est sur les classes moyennes qu'il faut s'appuyer.

Le travail dévalorisé

Enfin, nous avons commis cette erreur immense de dévaloriser le travail. Malheureusement, nombreux sont ceux qui en portent la responsabilité. Je relis un article de Raymond Aron paru dans *L'Express* en décembre 1982. Il s'intitule « La force des idées fausses ». Écrit au moment où François Mitterrand multipliait les mesures de partage du travail, il exprime en quelques paragraphes les raisons pour lesquelles cette politique ne peut pas être la solution au chômage. D'abord, pour une raison immédiate de financement : celui qui ne travaille pas, il faut bien qu'il vive de la solidarité. On donne son emploi à un jeune, mais il faut bien partager le salaire ! Ensuite, parce que réduire artificiellement − c'est-à-dire indépendamment des progrès de la productivité − la quantité de travail de l'ensemble d'une société, soit en abaissant sa durée hebdomadaire, soit en excluant du marché du travail certaines catégories de personnes telles que les seniors ou les femmes isolées, aboutit forcément à réduire la production, c'est-à-dire la richesse. Certains besoins restent insatisfaits et certains biens ou services ne trouvent plus preneurs parce que la richesse globale de la société se réduit. Les restaurateurs de Chamonix, si l'histoire est vraie, ont eu raison de ne pas vouloir servir Martine Aubry un soir à 21 h 30, si maintenir un restaurant ouvert à cette heure, même dans cette station très touristique, est devenu non rentable à cause des 35 heures ! Malheureusement, vingt-cinq ans après, on en est toujours au même point de la réflexion !

De très nombreux pays, y compris la France, par exemple au moment de l'arrivée des rapatriés d'Algérie, ont expérimenté le fait qu'un afflux massif de population, s'il est assorti des investissements nécessaires pour créer des postes de travail (machines, bureaux, usines, ordinateurs...), ne crée pas du chômage, mais au contraire de la croissance. La solution au problème du chômage, c'est le travail.

On ne dira donc jamais assez le mal que les 35 heures ont fait à notre pays. Comment peut-on avoir cette idée folle de croire que c'est en travaillant moins que l'on va produire plus de richesses et créer des emplois ? Après le mirage des premiers mois, où pour faire tourner un salon de coiffure ou une chaîne de production, il faut en effet embaucher dans l'urgence quelqu'un, les effets de cette réforme sur la compétitivité des entreprises se font sentir et les commandes chutent. Les plans sociaux se multiplient, les salaires stagnent, le pouvoir d'achat régresse. Les allégements de charges sociales ne suffisent plus à compenser l'écart entre la productivité des salariés peu qualifiés et leur rémunération, qui doit être comparée à celle des autres salariés et des salariés des pays émergents. Le chômage des personnes non qualifiées, le plus difficile à combattre, s'aggrave. Enfin, le coût du capital devient plus intéressant par rapport au coût du travail et la machine remplace l'homme chaque fois que la substitution est possible. À ce bilan catastrophique s'ajoutent les effets désastreux des 35 heures dans la fonction publique, par exemple à l'hôpital totalement désorganisé par cette réforme aussi aberrante dans son principe que dans sa mise en œuvre.

Je ne crois pas que les Français n'ont plus le goût du travail. Au contraire, ils sont exaspérés parce que le travail aujourd'hui paie moins que l'assistance. Travailler ne donne droit ni au transport à tarif réduit, ni à des aides au logement, ni à une prime de Noël, ni à la CMU, ni à l'exonération de la taxe d'habitation et de la redevance télévisuelle, ni à des réductions au cinéma ou dans les musées. Travailler au contraire est sanctionné puisque plus on en laisse à ses enfants, plus on paie d'impôt sur les successions. Travailler n'est plus une garantie de promotion sociale, ni d'accès à la propriété. Travailler ne permet même pas d'envisager sereinement la retraite, la dépendance ou d'éventuels problèmes de santé puisque nous sommes incapables de dire comment nous financerons les régimes de protection sociale au cours des trente prochaines années et que les Français le savent. Ce n'est ni la civilisation des loisirs, ni une sorte d'épicurisme moderne, qui a cassé la dynamique du travail en France, qui a conduit les Français à se désintéresser progressivement de leur emploi et de leur entreprise. La France a une culture ouvrière, elle a une culture agricole. Son peuple sait ce qu'est le travail. Il n'en a pas peur. Mais l'inversion délibérément organisée des valeurs entre le travail et l'assistance a totalement perverti les repères. Quand celui qui travaille ne vit pas mieux que celui qui ne travaille pas, pourquoi se lèverait-il tôt le matin ?

C'est dans cette inversion des valeurs que je vois également l'origine du comportement irresponsable de certains patrons et je veux m'en expliquer. Quand des chefs d'entreprise se font verser des salaires, des stock-options, des retraites chapeau dont les montants peuvent atteindre quarante siècles de SMIC c'est qu'ils n'ont plus aucun respect pour leurs ouvriers et pour eux-mêmes, pas même pour leur entreprise. C'est que notre société a perdu toutes ses références. En qualifiant cette attitude d'outrancière, je suis loin du compte. Jamais, on n'aurait vu cela d'un chef d'entreprise pendant les Trente Glorieuses.

Un choix à faire : travailler moins ou gagner plus

Le parti socialiste nous annonce un projet social, un projet fondé sur la solidarité, la cohésion, un projet qui promet d'aider les plus faibles et de rendre espoir aux classes moyennes. C'est un mensonge. Ce projet perpétue et aggrave tout ce qui échoue depuis vingt-cinq ans. Il généralise les 35 heures et la retraite à soixante ans quand tous nos voisins font exactement l'inverse. Il persiste dans l'ignorance du monde et des défis de notre temps. Il accentue le divorce entre les réalités économiques et les politiques sociales, ce qui est la plus sûre façon de manquer à la fois l'objectif de l'efficacité et celui de la justice. Les socialistes proposent de continuer avec les mêmes méthodes, les mêmes recettes, les mêmes idées, celles qui ont mis notre économie en miettes et livré notre société au doute, au désarroi, à la peur. Je propose qu'on arrête. Les socialistes proposent qu'on travaille moins. Je propose qu'on ait plus de pouvoir d'achat.

Il n'y a rien de plus important que de restaurer le travail comme une valeur cardinale. Et pour cela, il n'y a qu'un seul moyen : « prouver que le travail paye à nouveau », c'est-à-dire qu'il donne une récompense en termes de rémunération et de considération. Il n'y a rien de plus décourageant que de constater qu'un surcroît de travail ou de responsabilité n'apporte rien.

Les revenus du travail doivent en toutes circonstances être supérieurs à ceux de l'assistance. C'est une question de survie et de progrès pour notre pays. Chacun doit avoir la certitude que s'il le mérite le chemin de la promotion sociale lui est ouvert. À celui qui travaille, je propose de gagner plus. À celui qui veut travailler, je propose de l'aider pour peu qu'il fasse l'effort minimum pour prouver qu'il veut s'en sortir. L'État ne peut pas mettre le pied à l'étrier de celui qui refuse de lever le genou. C'est la justice par le haut, que je veux opposer à la justice par le bas. Dans un cas on promeut, dans un autre on nivelle. Mon choix est fait, c'est celui de la promotion sociale, c'est-à-dire l'espoir donné à chacun que par son travail et son mérite, il vivra mieux que ses parents, ses enfants mieux que lui, et que de cela il sera le témoin heureux et serein.

Chapitre V

Clearstream

L'affaire Clearstream, j'ai mis du temps à la prendre au sérieux. Cependant, plus j'avançais dans sa connaissance, plus je l'ai trouvée grave, pour ne pas dire consternante. À titre personnel, elle pèse lourd dans la corbeille qu'il semble falloir payer pour avoir le droit de servir son pays en se présentant au suffrage des Français. Au-delà de ma personne, elle illustre ce à quoi la France doit tourner le dos une fois pour toutes.

Je n'entends pas faire ici des révélations, ni régler je ne sais quel compte politique. La politique, la vraie, n'a rien à voir avec cette histoire. Si des responsables politiques devaient y avoir trempé, ils ne seraient plus à mes yeux des hommes ou des femmes politiques, mais des malhonnêtes.

Je ne suis pas naïf, je connais la dureté de la vie publique. Je sais que les coups bas, les crocs-en-jambe, les manœuvres de toute sorte existent. Je suis même prêt à accepter que des adversaires, voire des « amis » exploitent mes difficultés. C'est ce qui a été fait sans pudeur et sans limite avec ma vie privée. Ce n'est pas très élégant. On aurait pu s'en passer, mais c'est ainsi et, de surcroît, protester ne sert à rien. Mais dans le cas Clearstream, il s'agit d'autre chose, un pas est franchi, on se situe à un autre niveau dans la crapulerie et dans l'inacceptable. Il ne s'agit plus d'exploiter les difficultés de quelqu'un, mais de les créer de toutes pièces à partir de rien, avec comme seul objectif : détruire.

Je connais l'histoire de notre République, je veux dire la toute petite histoire. L'histoire sale, celle qui est faite pour avilir. Je sais que les exemples ne manquent pas. Ce n'est pas une raison. Ce n'est pas une raison pour banaliser, pour fermer les yeux, pour tolérer. J'emploie à dessein un mot fort : tolérer. Cela fait trop longtemps que ce genre d'attitude bénéficie d'une forme d'impunité. On sait. Tout le monde sait. Mais on ne parle pas. Par peur du « tous pourris ». Par peur du « il n'y a pas de fumée sans feu ». Par peur de rompre avec un milieu qui pratique trop souvent une solidarité de mauvais goût. Par peur de passer pour un dénonciateur. Par peur du scandale. Par peur de ses conséquences politiques. Par peur au final de l'amalgame.

Je veux dire que je n'ai pas peur. Ces officines, ces comploteurs, ces magouilleurs empoisonnent la vie politique depuis trop longtemps. Ils se repaissent des complots. Ils vivent sur les sentiments les plus bas du genre humain : la jalousie, la haine, la cupidité. « Ils », ce sont tous ceux qui sont prêts à se mettre au service du puissant du moment. Leur rôle est d'effectuer les basses œuvres, et même souvent d'anticiper les désirs du maître. Les plus habiles obéissent ainsi à des ordres que l'on n'a même pas besoin de formuler. Surtout ne pas donner mauvaise conscience à celui que l'on veut servir...

J'ai appris l'affaire par un coup de téléphone du directeur de la DST à mon directeur de cabinet. Il ne prenait guère de risque : c'était deux jours avant que *Le Point* n'en fasse sa une en juillet 2004 ! J'avoue ne pas m'en être beaucoup préoccupé. Que mon nom soit cité à propos de comptes bancaires qui m'auraient appartenu dans un établissement luxembourgeois dont j'ignorais tout, me paraissait tellement extravagant ! Je choisis de traiter cette information avec le plus souverain mépris, certain que cela ne pouvait aller plus loin. Les faits ne tardèrent pas à m'apporter un cinglant démenti.

Les choses devinrent préoccupantes avec l'entrée en scène du juge Van Ruymbeke. J'étais à Moscou lorsque *Le Journal du Dimanche* et *Le Parisien* sortirent l'information suivante : deux commissions rogatoires internationales avaient été lancées à mon nom, au surplus par un juge faisant référence en matière de lutte contre la corruption ! Cela devenait sérieux, et plus encore que je ne l'imaginais.

Plusieurs mois plus tard, en lisant les commissions rogatoires, j'eus froid dans le dos. Le juge n'y avait pas été avec le dos de la cuillère. J'étais ni plus ni moins suspecté d'avoir touché des rétro-commissions sur la vente, en 1991, des frégates à Taiwan. Cela n'avait aucun sens puisque j'étais devenu ministre en 1993, deux années après la signature du contrat. Le juge souhaitait ensuite savoir si je n'avais pas fait transiter le fruit de cette corruption par mes fameux comptes Clearstream. Il fallut dix-neuf mois d'enquête pour découvrir que tout cela était faux. Heureusement que le juge Van Ruymbeke a la réputation d'être compétent. Qu'est-ce que cela aurait été sinon ? En plus d'être « compétent », ce juge devait être très occupé puisqu'en dix-neuf mois, il n'a jamais pris la peine de m'informer de ses initiatives. Il n'y était certes pas obligé juridiquement. Mais cette affaire était tellement aberrante, reposait sur si peu de choses, qu'avant d'engager une procédure de cette nature, la démarche normale eût été de commencer par m'interroger. Il ne prit même pas la peine non plus de me dire que les deux commissions rogatoires étaient revenues et qu'elles étaient négatives. Quand j'ai appris par la suite qu'il avait eu le temps de recevoir Jean-Louis Gergorin pendant plusieurs heures, j'en ai conclu qu'il devrait s'interroger davantage sur le choix de ses relations et sur la valorisation de son temps de magistrat !

Ayant donc connaissance par la presse des initiatives du juge Van Ruymbeke, je me décidai à me préoccuper sérieusement de cette affaire. J'appris que la DST, bien que jamais sollicitée par la justice pour enquêter, avait également connaissance des détails du dossier, qu'« on » lui avait demandé de chercher, qu'elle me savait innocent et qu'elle savait d'où venait cette dénonciation calomnieuse, dont je rappelle au passage qu'elle ne visait pas que moi. Je demandai alors qu'elle en informe la justice en application de l'article 40 du code de procédure pénale qui fait obligation à tout fonctionnaire qui a connaissance, dans le cadre de ses fonctions, d'un fait pouvant constituer une infraction pénale d'en saisir le procureur. On me le refusa malgré ma demande pressante. J'avoue ne toujours pas comprendre pourquoi. Cela renforça en revanche ma détermination à savoir ce qui se cachait derrière cette affaire. J'ajoute que l'obligation inscrite à l'article 40 du code de procédure pénale pèse sur toute autorité constituée, ce qui vise donc les ministres. La réaction normale d'un ministre qui aurait connaissance d'une affaire mettant en cause de hauts responsables publics et privés et susceptible de menacer les intérêts de la nation, ce qui serait le cas du listing des titulaires de comptes chez Clearstream si ce listing n'était pas en tout ou partie un faux, serait d'en saisir la justice pour que celle-ci puisse y consacrer les moyens d'enquête nécessaires, pas un conseiller ministériel isolé.

En janvier 2006 enfin, un article du *Figaro* m'apprit que les commissions rogatoires étaient rentrées, m'innocentant définitivement. C'est à ce moment, et à ce moment seulement, que je pus me constituer partie civile. Cette démarche était nécessaire pour avoir accès au dossier. Comment démontrer la réalité d'une dénonciation calomnieuse tant que l'on n'a pas les moyens de démonter la calomnie ?

Cette décision ne fut pas la plus facile à prendre. Nombreux furent ceux qui lui donnèrent une interprétation politique. Comprenez que j'en aurais fait un élément de ma « rivalité » avec Dominique de Villepin. C'est bien mal me connaître. Je n'ai jamais employé ces méthodes et je ne le ferai jamais. Elles me révulsent. La vérité est plus simple. Je veux savoir. Je veux comprendre. Je veux aller au bout des intrigues et des compromissions qui se cachent derrière cette affaire. Je le veux pour confondre ceux qui ont voulu bafouer mon honneur. Je le veux aussi pour que, désormais, il soit clair que, dans la République française, de tels comportements ne resteront pas impunis.

Je n'ai jamais rencontré et ne connais nullement Gergorin, Lahoud, Rondot, ces personnages hauts en couleurs que j'ai découvert comme tout le monde dans la presse. Le pire à mes yeux semble être ce Gergorin. Voici donc un monsieur que je ne connais pas et qui diligente une enquête sur moi, me dénonce à un juge, se livre à de nombreux commentaires sur un voyage en Inde que je n'ai jamais fait. Le plus insupportable étant qu'il dissimule ce comportement de pâle dénonciateur et de monteur de coups tordus derrière un semblant de raisonnement intellectuel. Cela n'impressionne que ceux qui sont assez légers pour donner de la crédibilité à des individus qui n'en ont aucune. Imad Lahoud est à mon sens assez bien résumé par son passé judiciaire. Mis en examen pour avoir escroqué son beau-père ! Y a-t-il un commentaire à ajouter ? Quant à ce M. Rondot, la façon dont il tient ses archives ne donne guère envie de le fréquenter et encore moins d'être son ami. Quand je pense que son métier est d'être secret. On en frémit. Avec lui, la question de l'utilité des services du même nom est posée. Voici donc cette fameuse troupe à l'œuvre. Je pense sincèrement que ces pieds nickelés n'étaient même pas conscients de la gravité de ce qu'ils faisaient. On peut se demander l'intérêt que trouvait à leur fréquentation un homme comme Dominique de Villepin.

Reste cette question : travaillaient-ils pour quelqu'un ? Et si oui pour qui ? Ces interrogations m'ont longtemps taraudé. Elles ne le font plus, maintenant que je sais que la justice ira jusqu'au bout. C'est elle qui dira la vérité. Et c'est à ce moment-là, et à ce moment-là seulement, que j'en tirerai toutes les conséquences politiques. Dans l'attente, il y a des choses qui me troublent, notamment certains propos rapportés par ce grand journaliste dont la parole ne peut être mise en cause qu'est Frantz-Olivier Giesbert.

Je n'ai pas le droit pour le moment, car je ne suis pas seul, d'engager ma famille politique dans une crise qui risquerait de l'handicaper gravement pour les échéances de 2007. On ne quitte pas un gouvernement sur un coup de tête, encore moins sur un coup de sang. Mes sentiments intimes, mes convictions profondes, je les garde pour moi. Si je les révélais, l'affaire Clearstream quitterait le terrain judiciaire pour gagner celui exclusif de la politique. Cela, je ne le veux à aucun prix. Le dernier mot, je tiens à ce qu'il soit pour les juges. J'y tiens pour moi. J'y tiens pour notre République. J'y tiens pour notre pays.

Responsabilité et équilibre dans le fonctionnement de l'État

Notre République a besoin de retrouver une certaine rigueur, un certain sens de la responsabilité, un souci de construire l'avenir qu'elle semble avoir perdu.

La gauche a ses vaches sacrées, la droite également. Parmi elles, notre fameuse Constitution de 1958 voulue par le général de Gaulle et écrite par Michel Debré. Sur les bancs de tous les instituts de sciences politiques, on répète à l'envi et l'on fait répéter que le régime de la cinquième République est le meilleur que nous ayons jamais eu et qu'il nous a donné la stabilité dont nous avions tant besoin. Beaucoup est vrai dans ce constat, mais il nous faut être lucides : nous ne sommes stables qu'en apparence. Je l'ai dit plus haut, nos Premiers ministres changent beaucoup plus fréquemment que dans les autres grandes démocraties et aucune majorité n'a été reconduite depuis 1981. La Constitution de la cinquième République était excellente en 1958. Elle a permis au général de Gaulle d'entreprendre de très nombreuses réformes, au premier rang desquelles la décolonisation. Aujourd'hui, elle présente des faiblesses, voire des dysfonctionnements. L'exécutif concentre trop de pouvoir entre ses mains, au surplus dans des conditions peu transparentes car partagé entre deux personnes. Le principe fondateur de la république gaullienne, qui est la responsabilité, a cessé de fonctionner en 1986 lorsque François Mitterrand, clairement désavoué par les urnes, est resté au pouvoir et a accepté la cohabitation. Seule la responsabilité, politique et morale, justifie pourtant à mes yeux la concentration par la Constitution de 1958 révisée en 1962 de tant de pouvoirs entre les mains d'un seul homme, le président. Quant au Parlement, il ne constitue pas un réel contre-pouvoir et s'épuise jour après jour par une activité législative prolifique, mais guère efficace.

Les gardiens du temple ne cessent de soutenir que la cause de cette situation n'est pas la Constitution, mais la manière dont nous la pratiquons depuis des années. Bien sûr, les hommes ont joué leur part et je suis le premier à penser que la raison première du désarroi dans lequel notre pays est plongé vient de l'immobilisme, de la sclérose du débat d'idées, de l'absence de réformes, et pas des institutions elles-mêmes. D'ailleurs, les évolutions que j'appelle de mes vœux en matière institutionnelle sont autant textuelles que comportementales. Mais à force d'attendre l'arrivée d'une classe politique providentielle, qui n'a jamais existé et qui n'existera jamais, sans oser toucher un mot à l'œuvre du Père fondateur, nous restons handicapés par un régime politique qui a aujourd'hui besoin de modernisation. Celle-ci doit aller à mes yeux dans deux directions : la responsabilité et l'équilibre.

Le président et le Premier ministre

La division de l'exécutif entre le président de la République et le Premier ministre est un facteur d'opacité et donc de dilution des responsabilités. Personne ne croit que le président ne gouverne pas. Personne n'imagine que les Premiers ministres du général de Gaulle, du président Giscard d'Estaing ou encore de François Mitterrand étaient autonomes dans leur activité gouvernementale. Et tout le monde sait que c'est précisément ce manque d'autonomie qui a conduit à la démission en 1976 de Jacques Chirac, alors Premier ministre. De même, les relations conflictuelles entre François Mitterrand et Michel Rocard étaient de notoriété publique. Le quinquennat a aggravé l'ascendant du président de la République sur le Premier ministre. D'une part, parce qu'avec un mandat plus court, le président est obligé de se rapprocher des problèmes concrets et quotidiens des Français. D'autre part, parce que la quasi-simultanéité entre les élections présidentielles et les élections législatives fait que le sort du président de la République est irrémédiablement lié à celui du gouvernement. Le président ne peut donc renoncer à impulser toute l'action gouvernementale. D'ailleurs, en pratique, la réalité est bien celle-là : pas un mot d'une déclaration de politique générale n'est prononcé sans avoir été soumis au président de la République. Pas une réunion interministérielle importante n'a lieu à Matignon sans qu'un conseiller de l'Élysée soit présent. Le pouvoir exécutif est entre les mains du président de la République puisque le suffrage universel direct lui en donne la légitimité.

Cette situation doit être assumée comme telle, dans la transparence vis-à-vis des Français. Les Français doivent savoir qui décide, quand, comment, pourquoi et dans quelles circonstances. C'est pourquoi j'estime que le rôle du Premier ministre doit être reconnu comme celui d'un coordinateur de l'action gouvernementale, qu'un certain nombre de services stratégiques doivent être rattachés à l'Élysée et que les décisions doivent être prises en transparence, lors de réunions se tenant à l'Élysée et annoncées à l'avance, pas dans le secret des influences officieuses. Ces réunions doivent d'ailleurs gagner en densité. Le Conseil des ministres ne doit plus être une chambre d'enregistrement de décisions négociées entre conseillers, mais au contraire un lieu où l'on discute, où l'on débat, où l'on tranche, où le gouvernement exprime une volonté collective. Dans un gouvernement, le désaccord ne doit pas être vécu comme un drame, mais au contraire comme une chance d'agir mieux, de manière plus efficace, plus complète, plus équilibrée et plus compréhensible. Enfin, le président de la République devrait pouvoir venir au Parlement expliquer lui-même sa politique plutôt que de procéder par voie de messages lus par un tiers devant des parlementaires debout et guindés.

S'agit-il de concentrer tous les pouvoirs entre les mains du président, d'en faire un homme d'autant plus puissant qu'il n'a plus de Premier ministre pour faire contrepoids ? Nullement. Il s'agit de reconnaître une réalité telle qu'elle existe aujourd'hui et de faire en sorte que celui qui décide soit aussi celui qui assume la responsabilité. Et si une institution doit faire contrepoids au président de la République, il ne peut s'agir que du Parlement. Le Premier ministre n'en a évidemment pas les moyens ou alors il sortirait de son rôle et empêcherait le pays d'être dirigé.

Le domaine réservé en question

En contrepartie, ou plutôt corrélativement car pour moi les deux démarches vont dans le même sens, celui d'une présidence moins monarchique, plus transparente, plus moderne, plus démocratique, certains pouvoirs du président de la République doivent être réduits, mieux encadrés, voire supprimés.

L'existence d'un domaine réservé du président de la République, dans lequel ni le Premier ministre, ni le Parlement, ni les partis politiques n'ont leur mot à dire, est à mon sens incompréhensible et démocratiquement injustifié. C'est le cas d'abord des affaires étrangères et des affaires européennes. J'ai toujours pensé, par exemple, que l'Union européenne avait commis une erreur en s'élargissant aux pays d'Europe centrale et orientale avant de réformer ses institutions. Pourtant, on ne peut guère douter de mon attachement pour ces pays et pour leur culture. L'élargissement était une nécessité. Mais la réforme des institutions l'était tout autant. Je trouve fort regrettable que la question du rythme de l'élargissement n'ait pas fait l'objet d'un débat politique, notamment au Parlement. C'est quand même une question capitale, capitale pour la France et pour les Français. Il nous faut désormais rattraper le temps perdu sous peine de lester durablement l'Union européenne. La seule solution consiste à négocier un traité

institutionnel plus court, limité aux stipulations essentielles permettant aux institutions communautaires de
fonctionner. Ces stipulations n'ont été contestées par
personne durant la campagne référendaire. Ce traité
serait ratifié par voie parlementaire.

La perspective de voir la Turquie entrer dans
l'Union européenne est également un contresens
parfait à mes yeux. J'entends et je comprends les
espoirs stratégiques qui sous-tendent cette idée. Ils
peuvent être atteints par la conclusion d'un partena-
riat stratégique avec cet État. Mais autant dire que
l'adhésion de ce pays, dont 98 % du territoire n'est
pas en Europe et qui serait le plus peuplé des pays
de l'Union dans vingt ans, au surplus de culture
majoritairement musulmane, serait un tel choc que
l'Union n'aurait plus rien à voir avec ce qu'elle est
maintenant et encore moins avec le projet de ses
fondateurs, celui d'une Europe intégrée et politique.
J'ajoute que si la Turquie entrait dans l'Europe, je me
demande ce que l'on pourrait dire pour écarter la
candidature d'Israël, dont tant de ressortissants sont
chez eux en France et en Europe et réciproquement,
ou encore celle de la Tunisie, de l'Algérie et du
Maroc, qui étaient français il y a encore un demi-
siècle. On voit bien que l'Europe n'aurait alors plus
de limites. Elle deviendrait une sous-région de
l'ONU. C'en serait fini de l'Europe politique. Malgré
tout, sur cette question déterminante, aucun débat

n'a pu avoir lieu au Parlement avant celui d'octobre 2004, et encore il ne put être assorti d'un vote.

En octobre dernier, moins de six mois après les « non » français et néerlandais au traité constitutionnel, l'Union européenne a ouvert les négociations d'adhésion avec la Turquie. Aucun chef d'État ni de gouvernement ne s'y est opposé alors que le poids de la question turque dans les résultats référendaires est connu et reconnu. L'Europe semble incapable de se dégager d'une promesse formulée en 1963 dans un contexte géopolitique qui n'avait strictement rien à voir. Toutefois, plus le temps passe, plus il sera brutal de dire aux Turcs qu'ils ne peuvent pas entrer dans l'Union européenne. C'est pourtant ce qui risque d'arriver puisque la France a prévu que l'intégration de la Turquie devrait être ratifiée par les Français par référendum. J'avoue ne pas comprendre non plus pourquoi on n'a pas le courage d'exiger de la Turquie qu'elle fasse à l'égard de l'Arménie son devoir de mémoire. Jacques Chirac aurait pu et dû le faire, lui qui a eu le courage de reconnaître l'implication des autorités françaises dans la politique anti-juive du régime nazi.

Débattre publiquement de la politique de défense

La politique de défense, ses moyens, ses objectifs, ses résultats, sont également des sujets dont je considère qu'ils devraient pouvoir être débattus sur le plan politique, en particulier au Parlement. C'est naturellement compatible avec le secret qui s'attache à ces affaires. J'ai eu un vif différend avec le président de la République à ce sujet en juillet 2004 et l'on m'a prêté à cette occasion des formules suffisamment erronées pour que je précise ici ma pensée. Il ne s'agit nullement de transgresser le secret des délibérations du Conseil de défense, mais de rétablir mes propos dans leur authenticité.

Je n'ai jamais contesté la nécessité d'investir dans notre défense des moyens à la hauteur de nos ambitions. Nous consacrons à l'effort de défense 1,8 % de notre PIB contre 2,2 % en Grande-Bretagne, dont le PIB est en outre supérieur au nôtre. Cet investissement est hélas d'autant plus nécessaire que le gouvernement Jospin l'a profondément mis à mal, préférant s'offrir les 35 heures et augmenter les dépenses publiques, plutôt que de préparer l'avenir. J'ai simplement constaté, d'abord comme citoyen, puis comme ministre des Finances, que quasiment tous les programmes d'investissement de la défense dérapaient en termes de coûts et de calendrier. C'est une situation qui n'est bonne pour personne : elle ne l'est pas pour le contribuable bien sûr, mais elle ne l'est pas davantage pour les militaires qui se plaignent de la lenteur du renouvellement des équipements et doivent consacrer des sommes croissantes à l'entretien de matériels vétustes.

Chargé, en tant que ministre des Finances, d'exécuter la loi de finances pour 2004 et de préparer celle pour 2005, dans un contexte budgétaire très contraint, j'ai souhaité, devant le dérapage des programmes prévus par la loi de programmation militaire 2003-2008, comprendre les causes de celui-ci. C'est sans doute une faiblesse : je déteste ne pas comprendre ! C'est alors que j'ai découvert que les services du ministère des Finances, en particulier la direction du Budget, ne disposaient d'aucun élément précis ni d'aucun moyen d'expertise sur le budget du ministère de la Défense. Sous couvert de domaine réservé, le budget de la défense, sa gestion, ses résultats sont en réalité assez largement une boîte noire. Ils ne font l'objet ni de contre-expertises, ni de débats contradictoires. Ce qui est le plus grave dans cette situation, et je mesure la force des propos que je tiens, est que la première victime de cette opacité est le président de la République lui-même. Comment peut-il décider si aucun dialogue approfondi et contradictoire permettant de l'éclairer ne peut avoir lieu sur les grands choix d'investissements proposés par les militaires ?

Je pense que les questions de défense devraient pouvoir être débattues au sein du gouvernement et au sein du Parlement. Il s'agit de questions importantes pour l'avenir de notre pays et l'enjeu budgétaire est suffisamment lourd pour qu'on puisse en parler et qu'on se donne les moyens d'une gestion efficace des investissements militaires. C'est en outre la meilleure manière de susciter l'adhésion des citoyens à la politique de défense et aux orientations retenues.

Pouvoir de nomination et droit de grâce

Le pouvoir de nomination du président de la République est à mes yeux trop important. Là encore que d'hypocrisies ! On se complaît à louer notre système de fonction publique, neutre et indépendante par rapport au pouvoir politique, et l'on critique le système américain des « dépouilles » qui consiste à changer tous les hauts fonctionnaires à chaque alternance. La réalité de notre procédure de nomination est hélas moins glorieuse. Transparente selon les textes, avec la publication au Journal officiel des vacances de poste, elle est en réalité opaque, les jeux étant toujours faits avant cette publication. Quant à la compétence des personnes nommées, elle a trop souvent moins d'influence que la préférence personnelle de celui qui nomme. Pour les postes les plus importants, notamment le Conseil constitutionnel, le Conseil supérieur de l'audiovisuel, les autres autorités administratives indépendantes et la présidence des grandes entreprises publiques, le Parlement devrait être associé au processus de nomination. Une commission constituée de parlementaires organiserait l'audition publique des candidats et ratifierait par un vote les propositions de l'exécutif. La compétence et l'impartialité de ceux qui postulent aux plus hautes responsabilités administratives seraient ainsi davantage garanties.

Enfin, je considère qu'il faut mettre un terme au pouvoir d'amnistie et de grâce du président de la République. Au regard de la séparation des pouvoirs, cette faculté est problématique. Au regard de la morale républicaine, elle est choquante si l'on veut bien se rappeler que les citoyens sont égaux en droits et en devoirs. L'amnistie récente d'un ancien grand champion fait du tort à la République car elle accrédite l'idée de privilèges réservés aux seules élites. Ses qualités personnelles ne sont pas en cause. C'est un homme qui a incarné la France de façon remarquable. Mais cette amnistie était pour lui un cadeau empoisonné. Il vaut bien mieux que cela. Je souhaite donc que ce pouvoir présidentiel, qui relève à mon sens d'une époque révolue, soit aboli. Après y avoir réfléchi, aucun argument en faveur de son maintien n'est à mes yeux recevable. Ces pratiques contribuent à rendre « étrange » la démocratie française aux yeux du monde entier.

Ce président qui gouverne, qui ne craint pas le débat au sein de son gouvernement, qui soumet au Parlement les grandes questions de défense, de politique étrangère et de politique européenne, qui doit venir expliquer sa politique devant la Représentation nationale, aura à mon sens suffisamment à faire pour changer de vie au bout de deux mandats. Ma conviction est que le temps que l'on met à durer, on ne le met pas à gouverner. Je pense donc que le nombre de mandats successifs d'un président de la République doit être limité à deux, ce qui est bien suffisant pour celui qui veut agir et acceptable pour celui qui pense que la République exige le renouvellement des générations.

Faire du Parlement un vrai contre-pouvoir

À la différence de la Grande-Bretagne, qui reste le modèle de la démocratie représentative, la France a toujours eu du mal à équilibrer les pouvoirs entre eux : soit elle en a donné trop au Parlement, soit elle en a donné trop au pouvoir exécutif. Peut-être parce qu'au fond, la France n'est pas un pays très libéral, au sens politique du terme. Elle n'a pas cette passion qu'ont les Britanniques de rechercher le plus haut degré de liberté et d'indépendance possible pour les citoyens. Les Britanniques attendent de la loi qu'elle garantisse le maximum de libertés au peuple. Les Français attendent de la loi qu'elle règle les problèmes de la société.

Trop de pouvoirs aujourd'hui sont concentrés en France entre les mains de l'exécutif. Je ne crois pas qu'un meilleur équilibre démocratique puisse résulter de cette répartition floue et mouvante des compétences entre le président de la République et le Premier ministre. Je pense en revanche que notre Parlement devrait être plus fort afin de pouvoir faire contrepoids au président.

Bien sûr, les observateurs de la vie politique ne manqueront pas de relever que c'est en principe la même majorité qui détient les rênes du pouvoir exécutif et du pouvoir législatif. Autrement dit, il ne servirait à rien de renforcer les pouvoirs du Parlement puisque Parlement et président sont issus en réalité de la même majorité. De nos jours, la séparation des pouvoirs chère à Montesquieu ne serait pas à rechercher dans une meilleure répartition des pouvoirs entre l'exécutif et le législatif, mais dans un équilibre entre la majorité et l'opposition. De fait, l'une des caractéristiques majeures du régime britannique est le statut officiel et protecteur conféré à l'opposition. Celle-ci dispose de moyens importants, notamment pour constituer et faire vivre son fameux *shadow cabinet*. Elle bénéficie également de droits propres et préside, par exemple, systématiquement à la Chambre des communes la commission chargée de contrôler l'utilisation de l'argent public par les administrations.

Tout cela n'est pas faux, mais je ferai toutefois trois observations : en premier lieu, en Grande-Bretagne également, le pouvoir exécutif et le pouvoir législatif sont entre les mains d'une même majorité ;

en deuxième lieu, renforcer les droits du Parlement, c'est nécessairement renforcer les droits de l'opposition puisqu'il y a toujours des parlementaires de l'opposition qui siègent au Parlement ; enfin, le Parlement, en raison de son mode de désignation, a cette vertu profonde de refléter la diversité de la société française beaucoup plus que l'exécutif ne peut le faire. L'exécutif, c'est un homme seul entouré de quelques ministres. Le Parlement, ce sont des centaines de députés différents issus de circonscriptions multiples. Il y a parfois beaucoup plus de différences entre deux députés du même camp élus dans des circonscriptions que tout oppose qu'entre deux députés adverses élus dans des circonscriptions sociologiquement proches. Le Parlement n'a ainsi pas son pareil pour exprimer ce qui est ressenti par la population et constitue un lieu unique en son genre pour élaborer et trouver des compromis entre des intérêts contradictoires. Or, dans les démocraties contemporaines, ouvertes et complexes, la concertation, le compromis ne sont pas des faiblesses, mais des conditions de la réforme, et le rôle de la politique sera de plus en plus de réussir à concilier des points de vue inconciliables et à satisfaire des intérêts divergents.

Chaque fois que j'ai présenté et fait voter une loi au Parlement, j'ai toujours veillé à associer les parlementaires à son élaboration et à accepter leurs amendements, quitte à en travailler le contenu avec eux. J'ai également accepté de nombreux amendements de l'opposition. Par exemple, lors du vote de la loi de 2006 relative à la lutte contre le terrorisme, un amendement du groupe socialiste de l'Assemblée nationale a conduit à la création d'une commission parlementaire de contrôle de l'activité des services de renseignement. Cette ouverture permet d'aboutir à des textes plus équilibrés, plus opérationnels, et finalement mieux acceptés de leurs adversaires d'origine. Les débats joués à l'avance, les joutes parlementaires où tout ce que dit la droite est conspué par la gauche et réciproquement, m'ont toujours profondément ennuyé. Je sais d'ailleurs que la France s'enrichirait d'avoir dans un gouvernement des personnalités d'un autre bord, unies par la volonté de changement dans un contrat de confiance de la durée de la législature.

Aujourd'hui, notre Parlement est faible. Il a peu de moyens de travail. Les facilités allouées aux parlementaires français sont sans commune mesure avec celles dont disposent les parlementaires américains, qui sont entourés de véritables cabinets. Notre Parlement manque d'informations. Je voudrais que l'on m'explique pourquoi, par exemple, les avis que rend le Conseil d'État sur les projets de loi du gouvernement et les études d'impact préparées par l'administration ne sont pas transmis au Parlement. En cas de différend avec le gouvernement sur un texte, ce qui après tout peut arriver et n'est pas un drame, l'article 49-3 de la Constitution place nos parlementaires devant un dilemme cornélien : accepter le texte de l'exécutif ou faire tomber le gouvernement. Les deux options sont excessives et aboutissent à la déconfiture que l'on a connue avec le CPE. Enfin, le Parlement vit dans la menace constante d'une dissolution, ce qui limite sa capacité à s'opposer au gouvernement. Or, le vrai pouvoir est d'abord politique. On pourra donner tous les moyens supplémentaires et les procédures que l'on veut aux parlementaires, le Parlement ne deviendra réellement un contre-pouvoir au président de la République et au gouvernement que lorsque ces derniers seront obligés de négocier avec lui.

Pour que ses pouvoirs soient renforcés, je pense que le Parlement devrait d'abord pouvoir débattre et prendre des résolutions dans le domaine de la défense, des affaires étrangères et des affaires européennes. Il devrait pouvoir voter des résolutions dans les domaines de la politique gouvernementale qui ne relève pas de la loi, ou trop peu, afin d'infléchir l'action de l'administration dans ces domaines. Même si c'est juridiquement conforme au texte constitutionnel actuel, il est politiquement incompréhensible que le Conseil constitutionnel ait dénié au Parlement la possibilité de fixer des orientations au gouvernement sur la manière de diriger l'Éducation nationale, de mener la politique de l'aide au développement ou d'accueillir et de faciliter l'insertion des migrants. Je pense qu'il faut supprimer l'article 49-3 de la Constitution et donner plus de moyens au Parlement. En particulier, le Parlement devrait pouvoir s'appuyer bien davantage sur la Cour des comptes pour contrôler l'activité de l'administration, comme c'est le cas dans beaucoup de démocraties, notamment en Grande-Bretagne. Enfin, il serait souhaitable que les partis protestataires soient représentés d'une manière ou d'une autre à l'Assemblée nationale ou au Sénat. Une dose minoritaire de proportionnelle me semble nécessaire. Je pense que cela permettrait de les ramener vers des positions plus conformes à nos grands principes. C'est en excluant que l'on radicalise, pas en intégrant.

Dans le même esprit, j'estime qu'il faut accroître les moyens de l'opposition. Les choses sont ainsi faites que le parti qui a perdu les élections devient le parti qui a le moins de moyens. Une démocratie plus apaisée, plus équilibrée exigerait au contraire que ce parti soit aidé à se reconstruire et à exercer son rôle d'opposant. Je propose donc que l'opposition parlementaire soit d'abord dotée d'un statut, qui permettrait de la reconnaître comme un acteur indispensable de nos institutions et de lui conférer un certain nombre de droits : être associée aux consultations menées en temps de crise ; être reçue régulièrement par le président de la République ; avoir des représentants lors des visites officielles... En outre, les moyens publics alloués aux partis politiques devraient être davantage lissés dans le temps afin qu'un parti ne perde pas l'essentiel de ses forces parce qu'il a perdu les élections. Enfin, soixante députés ou soixante sénateurs devraient pouvoir exiger la constitution d'une commission d'enquête, chaque parlementaire pouvant formuler une telle demande une fois par législature.

La place, le rôle, les pouvoirs du Parlement sont symboliques du bon fonctionnement d'une démocratie. Un parlement puissant est un marqueur efficace d'une démocratie vivante. Il ne faut pas craindre de donner des compétences supplémentaires aux assemblées. Il n'y a pas d'autre choix que celui du renforcement du pouvoir d'initiative et de contrôle parlementaire. En France, il n'est que temps !

En contrepartie, il est impératif que le Parlement cesse sa logorrhée législative. Notre pays, en particulier nos entreprises, n'en peuvent plus de la prolifération des lois. Le Parlement ne porte pas seul la responsabilité de cette dérive. Le gouvernement lui propose trop de textes. Et le Parlement essaie, en écrivant des lois ou en les amendant, de trouver un palliatif aux trop faibles pouvoirs dont il dispose au sein de notre système institutionnel. C'est ainsi que nos lois regorgent d'articles purement déclaratifs qui n'ont rien à faire dans la loi, mais qui permettent au Parlement d'exprimer des vœux.

Nous devons retrouver une certaine rigueur dans l'élaboration des textes législatifs, avec des lois moins fréquentes, mieux préparées, mieux rédigées. Sur ce point, plusieurs réformes sont envisageables, en particulier l'inscription du principe de confiance légitime dans la Constitution. Aussi curieux que cela puisse paraître, ce principe oblige tout simplement l'État à respecter sa parole. Par exemple, si l'État a prévu qu'une disposition législative a une durée de vie de dix ans, il ne peut pas en changer avant. De même, je pense que nous devrions nous inspirer de la pratique britannique des livres verts et des livres blancs. Lorsque le gouvernement britannique envisage une réforme importante, il commence par rédiger un livre vert exposant le problème et les différentes solutions. Il constitue ensuite une cellule chargée de recevoir, sous forme écrite ou orale, et d'exploiter l'avis de tous ceux qui souhaitent exprimer un point de vue sur le sujet. Puis il rédige un livre blanc dans lequel il expose la solution qu'il entend retenir et une nouvelle concertation a lieu. Au bout du compte, la société civile a été associée à l'élaboration des réformes et les lois sont mieux préparées et beaucoup plus pertinentes.

Revoir l'organisation du gouvernement

En matière de qualité législative toutefois, rien ne se fera sans une discipline imposée par le Premier ministre. C'est au Premier ministre de faire cesser cette tradition qui consiste pour un ministre à vouloir absolument attacher son nom à une loi. C'est au Premier ministre d'obliger ses ministres à diriger leur administration plutôt qu'à se réfugier derrière des lois d'affichage. C'est au Premier ministre de veiller à la nécessité et à la qualité rédactionnelle des projets de loi. C'est au Premier ministre enfin d'exiger des ministres que les décrets d'application des lois soient prêts avant que les lois ne soient votées au Parlement afin que les uns et les autres entrent en vigueur en même temps. Je ne verrais d'ailleurs que des avantages à ce que le Parlement soit doté d'un pouvoir de substitution lorsqu'au bout d'un certain délai les décrets d'application d'une loi n'ont toujours pas été publiés.

La dignité et la crédibilité de notre pays passent par celles de son gouvernement. Ainsi, notre instabilité ministérielle et la modification incessante du périmètre des ministères confinent au ridicule. L'organisation de l'État n'est pas un jouet dont les présidents de la République peuvent user au gré des modes. Il nous reviendra de définir le périmètre de nos principaux ministères dans une loi organique afin d'éviter les originalités douteuses du type de celle du ministère du temps libre imaginé dans les années 1980 par François Mitterrand. Dans un pays de deux cent cinquante millions d'habitants comme les États-Unis, le ministre des Finances s'appelle le secrétaire d'État au Trésor et son périmètre d'action demeure le même que ce soient les démocrates ou les conservateurs qui exercent le pouvoir.

L'élaboration de cette loi organique sera l'occasion de procéder à certaines restructurations qui me paraissent indispensables. Par exemple, il faut regrouper au sein d'un même ministère toutes les questions relatives à l'immigration, qui sont actuellement éclatées en trois administrations : les visas et l'asile au Quai d'Orsay ; l'intégration et l'immigration régulière au ministère des Affaires sociales ; la lutte contre l'immigration clandestine à l'Intérieur, sans parler du droit de la nationalité qui relève en grande partie du ministère de la Justice. De même, si nous voulons réellement que la politique environnementale ne se limite pas à des déclarations d'intention, il faut confier au ministre de l'Écologie les vrais leviers d'action : la politique de l'énergie, la surveillance des risques industriels, la politique des transports et de l'équipement. La réduction des émissions de gaz à effet de serre, enjeu numéro un de la problématique écologique, dépend en effet essentiellement de notre capacité à consommer moins d'hydrocarbures, à construire des véhicules propres, et à recourir davantage à la locomotion humaine, collective et ferroviaire. La constitution de ce grand ministère de l'Écologie présenterait en outre l'avantage de doter la politique environnementale d'une administration centrale et déconcentrée structurée et de corps dédiés de fonctionnaires.

J'estime qu'il convient de limiter drastiquement le nombre de ministres de plein exercice. Quinze me paraît un chiffre raisonnable, à l'image de ce qui fonctionne parfaitement chez nos principaux partenaires. C'est la garantie d'un gouvernement moins dispersé et plus concentré sur les vrais enjeux. Les ministres pourraient être dotés de secrétaires d'État sans portefeuille, plus jeunes, apprenant le métier, dont le rôle serait de les aider et de les représenter dans les multiples aspects de leur activité.

Les appartements de fonction devraient être réservés à mes yeux aux seuls responsables de l'exécutif en charge d'une mission leur imposant une disponibilité totale : le président de la République et le Premier ministre bien sûr ; les ministres de l'Intérieur, de la Défense, des Affaires étrangères, de la Justice, des Transports et enfin des Finances. Pour tous les autres, la mise à disposition d'un logement de fonction ne se justifie pas et les Français ont raison de demander moins de dépenses et davantage d'exigence dans la gestion des deniers publics.

Ne pas reporter nos défaillances sur les générations futures

Un pouvoir responsable, c'est d'ailleurs un pouvoir qui ne joue pas avec l'argent des Français et avec celui des générations futures. En tant que ministre des Finances, j'ai fait modifier la loi organique sur les lois de finances, notre Constitution financière, pour que chaque gouvernement soit obligé, lors du vote de la loi de finances, d'indiquer à l'avance ce qu'il fera des recettes supplémentaires au cas où la croissance serait supérieure aux prévisions. L'affaire de la cagnotte, qui a permis au gouvernement de Lionel Jospin d'affecter les recettes de la croissance à des dépenses courantes plutôt que de les consacrer au désendettement de la France, n'est pas un comportement responsable dans un pays comme le nôtre confronté à une situation financière difficile.

En 2003, l'Allemagne a réformé son régime d'assurance-maladie et imposé à chaque caisse – le système allemand est beaucoup plus décentralisé que le nôtre – de présenter chaque année des comptes équilibrés sans pouvoir recourir à l'emprunt, c'est-à-dire à la dette. En cas de déficit, les cotisations des assurés et des entreprises sont augmentées pour rétablir l'équilibre. Cette règle est exigeante. Sa mise en œuvre n'est pas populaire. Mais elle permet d'empêcher le gouvernement de mettre sur le dos des générations futures son incapacité à assurer le financement de l'assurance-maladie. Je serais favorable à ce que nous expérimentions une règle comparable. En cas de déficit de l'assurance-maladie, le gouvernement serait obligé de prévoir, dans la loi de financement de la Sécurité sociale de l'année suivante, les mesures permettant d'éponger celui-ci. Il pourrait s'agir d'une augmentation des cotisations, d'une augmentation de la CSG ou d'une augmentation des différents forfaits et franchises progressivement institués pour essayer de maîtriser l'évolution des dépenses de santé. En cas d'excédents, la règle inverse prévaudrait et l'on abaisserait les prélèvements effectués sur les usagers pour financer les dépenses d'assurance-maladie. Il serait évidemment possible de distinguer les déficits structurels, qu'il faut combattre, des déficits conjoncturels qui peuvent survenir une année, en cas de faible croissance ou d'événement sanitaire exceptionnel, et dont il n'est pas illégitime d'étaler le financement sur plusieurs années.

Président de la République et responsabilité pénale

Enfin, dans ce même souci de mettre notre régime institutionnel aux standards des grandes démocraties, il faudra régler la question de la responsabilité pénale du président de la République. La solution dégagée par la Cour de cassation, qui consiste à suspendre l'écoulement de la prescription tant que le président exerce son mandat, me paraît satisfaisante et devrait être inscrite dans notre Constitution. La commission dirigée par Pierre Avril et nommée par l'actuel président a également proposé une nouvelle formulation de la haute trahison, afin que le Parlement ait la possibilité, en cours de mandat, de destituer un président ayant très gravement manqué aux devoirs de sa charge. C'est un sujet délicat, car la notion de manquement grave peut vite devenir exclusivement politique. Par ailleurs, je ne suis pas sûr que cette procédure d'*impeachment* à la française serait réellement efficace. Si elle avait été en vigueur du temps de François Mitterrand, aurait-elle été mise en œuvre, par exemple à propos des écoutes téléphoniques ? Rien n'est moins sûr. Malheureusement, ou heureusement d'ailleurs, la vraie protection du peuple et de la démocratie contre les coups bas, les intrigues, les malveillances, se trouve bien davantage dans la rigueur, la déontologie, le sens de l'État qui inspire les dirigeants et le respect qu'ils ont de la France, que dans des procédures. Je souhaite de tout cœur que la démocratie française tourne le dos à ces comportements qui la déshonorent parmi les nations et qui minent la confiance de son peuple. Si la création d'une procédure d'*impeachment* peut y contribuer, alors j'y suis favorable.

Veiller à la respectabilité de notre justice

La respectabilité de notre justice devra également être assurée. Il y a à mes yeux trois questions déterminantes. La première est celle de la responsabilité des magistrats. Ce n'est pas une question numériquement importante. La plupart des magistrats font bien leur travail. Mais si les erreurs de quelques-uns ne sont jamais sanctionnées, c'est le peuple entier qui n'a plus confiance dans sa justice. La responsabilité des magistrats devra donc pouvoir être mise en cause en cas de faute ou de négligence personnelle, comme c'est le cas pour tous les autres fonctionnaires. À cet effet, un citoyen qui s'estimerait victime de la faute d'un magistrat pourrait en saisir le Conseil supérieur de la magistrature. Naturellement, un filtre serait institué pour éviter les plaintes abusives. Le CSM devrait par ailleurs être réformé pour que les magistrats n'y soient plus majoritaires. Il est tout à fait normal de protéger la magistrature contre les immixtions du pouvoir politique, mais celle-ci serait beaucoup mieux prémunie en étant placée sous l'autorité d'une institution reflétant toute la société, plutôt que sous l'autorité de fait des syndicats de magistrats.

La deuxième question est celle des moyens de la justice. Ce qui nuit le plus à l'image de la justice, au respect et à la confiance qu'elle inspire aux citoyens, c'est sa lenteur, ce sont ses locaux débordant de dossiers, c'est le droit qui change en permanence, ce sont ces juges débordés qui cumulent plusieurs fonctions en même temps, c'est cette carte judiciaire éclatée en un nombre beaucoup trop élevé de petits tribunaux. C'est pourquoi il conviendra à la fois d'augmenter les moyens de la justice et de réformer la carte judiciaire pour regrouper les tribunaux, rompre l'isolement des juges et spécialiser les juridictions. Des juges spécialisés sont des juges qui jugent mieux et plus vite. À l'image de la nouvelle répartition du territoire entre la police et la gendarmerie, que nous avons réussi à mettre en place alors que la précédente n'avait pas bougé depuis 1941, redessiner la carte judiciaire est possible pourvu qu'on le fasse de manière concertée et dans une perspective de réorganisation globale des services publics sur le territoire : à tel endroit le tribunal, à tel autre la sous-préfecture, à tel autre encore la trésorerie, à tel autre enfin l'hôpital, plutôt que de laisser chaque administration se réorganiser sans tenir aucun compte de ce que font les autres, comme on l'a trop souvent pratiqué.

Enfin, il nous faudra trouver le moyen de concilier la possibilité pour le gouvernement d'avoir une politique pénale et la suppression définitive des immixtions du pouvoir politique dans les affaires individuelles qui le concernent. Ces immixtions inacceptables sont des pratiques de République bananière. Simple en apparence, cette question est en fait complexe car, pour avoir une politique pénale, ce que j'estime indispensable, le gouvernement doit à la fois pouvoir envoyer des directives générales aux parquets, mais également donner à ces derniers, lorsque c'est nécessaire, des instructions dans les affaires individuelles. Par exemple, au moment de la crise des banlieues, il est très regrettable que la Chancellerie ne soit pas intervenue pour exiger du parquet de Seine-Saint-Denis qu'il requière une plus grande sévérité à l'égard des mineurs déférés à la justice. Il est quand même difficilement compréhensible que, dans ce département, la seule personne incarcérée sur-le-champ ait été un policier.

Pour permettre à la fois l'application d'une politique pénale gouvernementale et garantir aux citoyens que le pouvoir politique n'use pas de ses prérogatives pour protéger les siens, je suggère la création d'un poste de procureur général de la Nation. Ce haut magistrat, aux compétences et à l'envergure incontestables, serait désigné par le gouvernement, après audition publique devant une commission de parlementaires qui pourrait s'opposer à sa nomination à la majorité qualifiée. Le procureur général de la Nation ne serait pas indépendant du ministre de la Justice, mais il serait chargé de veiller au quotidien à l'application de la politique pénale du gouvernement, une tâche d'autant plus nécessaire que le garde des Sceaux n'a pas que cela à faire. C'est lui qui, si besoin est, adresserait aux parquets des instructions individuelles, uniquement pour des motifs d'intérêt général ou de cohérence de la jurisprudence. L'existence de ce filtre serait pour les citoyens une garantie de déontologie dans la mise en œuvre de la politique pénale.

Beaucoup de Français ont certainement été ébranlés, comme je l'ai été, par le visage bouleversé et bouleversant de Dominique Baudis, venant expliquer à la télévision les rumeurs dont il était l'objet et en contester la véracité. J'ai tout de suite pensé que c'était le visage de l'innocence. Tout le monde n'a pas eu la même réaction à l'époque. La pire des injustices est sans doute d'être accusé de choses qui sont profondément contraires à ce que l'on est au fond. La justice n'est pas une plaisanterie. La calomnie est un fléau car il en reste toujours quelque chose, notamment de nos jours où les informations les plus farfelues circulent et perdurent sur Internet. Il est indispensable que la justice juge rapidement et professionnellement. Les criminels doivent en avoir peur, les innocents doivent avoir confiance en elle.

Fiers de notre histoire

Comme des millions de Français, j'ai été frappé et blessé d'entendre la Marseillaise sifflée à l'ouverture du match France / Espagne de la coupe du monde de football ; plus encore peut-être que lorsque la Marseillaise a été sifflée par des Français eux-mêmes, au stade de France lors du match France / Algérie. La réputation actuelle de notre pays à l'étranger n'est pas bonne. La suffisance française déplaît, de la part d'un pays qui a de lourdes difficultés internes.

Juste ou injuste, le procès de notre « arrogance » a été si souvent instruit à notre endroit qu'il a fini par être un handicap en même temps qu'il gagnait en crédibilité : la France n'est plus assez aimée parce qu'elle n'est plus assez « aimable ». Le nouveau monde, c'est d'abord celui où toutes les nations exigent une même considération. Plus un pays est petit, plus il souhaite être respecté. Nous n'avons pas assez tenu compte de cette réalité qui nous impose de comprendre que les autres peuvent avoir les mêmes exigences que nous. Nous gagnerons beaucoup à savoir nous mettre à la portée de tous. Lorsque l'on est certain de sa force et de son universalité, on n'a nul besoin de l'arrogance, de la suffisance, d'une certaine forme de prétention.

Il faut que la France apprenne à distinguer la fierté de l'arrogance. Dire que notre pays a des difficultés, qu'il est menacé de déclin s'il ne fait pas les efforts nécessaires, ne porte aucune atteinte à son honneur et à la fierté légitime que la France inspire aux Français. Ériger tout ce que nous faisons en modèle, donner des leçons au monde entier, relève en revanche de l'arrogance. L'une est d'ailleurs le contraire de l'autre. C'est parce que nous refusons de regarder nos problèmes en face que l'intensité de notre flamme dans le monde et le respect que les autres nations nous portent se fragilisent.

Depuis quelques années, certains faiseurs d'opinion, certains groupes de pression essaient de faire douter les Français du prestige de leur passé. Ils profitent de nos difficultés. Ils font de Hitler un héritier de Napoléon. Ils font de l'esclavage l'unique visage de la France, oubliant qu'elle n'a pas été la seule à pratiquer cette barbarie et qu'elle a aussi donné naissance à des hommes et à des femmes qui l'ont combattue. Ils réduisent la colonisation à une entreprise criminelle, alors que cette période de notre histoire est beaucoup plus complexe que cela et s'inscrit dans un contexte historique qui n'a rien à voir avec celui d'aujourd'hui. Ils réhabilitent les mutins de la Première Guerre mondiale sans avoir une pensée pour les millions de Français qui se sont battus dans les tranchées pour l'honneur et la liberté. Ils dressent les Français les uns contre les autres en faisant de la droite les anti-dreyfusards, de la gauche les seuls républicains, et pourquoi pas, tant qu'on y est, les seuls résistants.

Ce discours est ravageur. D'abord parce qu'il est faux. La France a commis des erreurs. Son histoire a des zones d'ombre. Mais elle les a reconnues, y compris la traite négrière et l'esclavage, ce dont je me félicite. Surtout, elle en a toujours triomphé et aucun Français, qu'il soit de droite ou de gauche, ne conteste aujourd'hui que l'honneur de la France était à Londres, pas à Vichy, du côté des dreyfusards, pas de celui des anti-dreyfusards. Comme le relève Max Gallo dans *Fier d'être français*, la France n'a enfanté ni Hitler, ni Staline, ni Pol-Pot. Elle n'a rien créé d'équivalent aux camps nazis ou au goulag et elle n'a rayé aucune ville de la carte par le feu nucléaire. Son inclination naturelle l'a bien plus souvent portée vers la défense de la liberté et des droits de l'homme que vers des choix moins honorables. C'est bien d'ailleurs pour cela que la France a été une nation respectée et admirée à travers le monde. Les Français peuvent être fiers de leur histoire.

Plus grave encore, ce dénigrement risque de saper les fondements de notre nation. Dans ce pays aux multiples visages, où un habitant du Nord est telle-ment différent d'un Marseillais, un Breton d'un Strasbourgeois, c'est l'amour de notre histoire, de notre culture, de notre langue, qui constitue le ciment de notre unité. Depuis la fin du XIXe siècle, c'est lui qui permet à des générations entières d'im-migrés de devenir français sans rien avoir à renier de leur culture d'origine, mais au contraire en l'appor-tant au pot commun. Être français n'est pas une question de naissance. C'est une question de reconnaissance dans la culture et dans l'histoire de ce pays au destin incomparable. C'est précisément pour cela que ceux qui n'aiment pas la France ne sont pas obligés d'y rester. Si chacun commence à s'arrêter aux souffrances que la France a infligées à ses ancêtres, sans accepter de les dépasser une fois l'histoire clarifiée et les regrets formulés, alors les Cévenols auront autant de raisons que les Vendéens et les Martiniquais de faire sécession. Quand on aura expliqué aux Français toutes les raisons qu'il y a de ne pas aimer la France, que restera-t-il de l'esprit de notre nation ? Ce qui est important, c'est de construire ensemble notre avenir, pas de nous déchirer sur les vestiges du passé.

Je n'aime pas l'expression « peuple de gauche » si souvent utilisée par nos adversaires. Il n'y a pas un « peuple de gauche » et un « peuple de droite ». Il y a le peuple français. Sa force, son unité résident dans sa capacité à réunir dans un même héritage aussi bien Clemenceau et le général de Gaulle que Jaurès et Blum.

Fière de son passé, la France doit l'être. J'ai tenu à prononcer ce discours de Nîmes du 9 mai 2006 sur la France parce qu'il faut mettre un terme à ce procès injuste, à ces accusations mensongères, à ce dénigrement systématique.

Fière de son présent, la France doit s'en donner les moyens. En renouant avec la croissance et le plein-emploi. En rendant l'espoir à son peuple. En retrouvant des institutions solides, fondées sur la responsabilité et le sens de l'État. En approfondissant sa démocratie par la culture du débat, du compromis, de l'équilibre des pouvoirs. En se dotant d'une éthique dans l'exercice du pouvoir. Pour que son souci de montrer au monde un chemin original ne soit plus perçu comme une arrogance, mais de nouveau comme le don d'un pays généreux, ouvert, engagé, soucieux que l'évolution du monde aille dans le sens de la paix entre les nations et du bien-être de chacun.

Chapitre VI

Je veux m'adresser dans ce chapitre aux Français qui désespèrent que le changement soit réalisable en France, qui pensent que la réforme est impossible ou qu'elle ne peut se faire qu'à la hussarde, en créant les conditions d'affrontements violents. Je ne partage pas cette opinion. Je n'ai pas la vision d'une France ainsi fossilisée et de Français aussi conservateurs.

Les Français n'ont pas peur du changement. Ils l'attendent. C'est la politique qui, depuis plusieurs années, s'est progressivement sclérosée, stéréotypée, rigidifiée, pas la société. Celle-ci s'est au contraire profondément transformée. On le voit en matière de mœurs. Aujourd'hui, la sincérité de l'amour homosexuel est parfaitement reconnue et admise par les Français. Ils soutiennent le PACS et rejettent les discriminations. La sexualité n'est pas un choix, mais une identité, j'en suis convaincu. Les inégalités fondées sur celle-ci seraient particulièrement choquantes. Je ne les accepte pas. Ce qui n'enlève rien à mes réserves sur le mariage et l'adoption par un couple homosexuel.

Ce n'est pas aux Français de changer pour accepter les réformes. Ils ne le feront pas. C'est aux responsables politiques républicains de réagir et de remettre profondément en cause leurs méthodes.

Une société en avance sur sa classe politique

Ma conviction, peut-être mon pari, est que les Français sont beaucoup plus lucides et réceptifs au monde qui les entoure qu'on ne le dit. Ils ont bien vu que celui-ci change à une rapidité stupéfiante. Contrairement à ce dont on les accuse pour mieux se disculper de l'inaction, ils sont loin de tout attendre de l'État. Ils savent que les transformations du monde exigent de leur part réactivité et capacité d'adaptation. Ils voyagent de plus en plus, sont familiers des nouvelles technologies, et s'enthousiasment par millions pour une coupe du monde de football qui est finalement un condensé heureux de la mondialisation. Le programme Erasmus, qui permet à nos étudiants de faire une partie de leurs études dans d'autres pays européens, a séduit des centaines de milliers de Français, comme en a d'ailleurs témoigné à sa façon le succès des deux films de Cédric Klapisch *L'Auberge espagnole* et *Les Poupées russes*. En voyant ces films, et sans sous-estimer pour autant les difficultés du monde actuel, je me dis que nos enfants ont de la chance de vivre dans cette Europe pacifiée et démocratique de la Bretagne à l'Oural. Un nombre important de jeunes talents innove, trop souvent hélas à l'étranger. Quant à nos entreprises, la plupart s'ouvrent de plus en plus sur le monde et n'ont pas de problème avec l'internationalisation de l'économie.

Il existe en revanche un décalage croissant entre cette France ouverte, active et moderne, et une sphère publique qui paraît inerte, un État qui ne se modernise pas, une offre politique qui se réduit à deux options souvent caricaturales et simplistes.

La première pour honnir la mondialisation et faire croire qu'on peut la repousser. Malheureusement ou heureusement – ce n'est pas la question –, la mondialisation est là. Et la vérité, c'est qu'elle apporte autant de problématiques nouvelles que de bienfaits. Parmi ceux-ci, la circulation des idées, l'échange entre les cultures, la diffusion du progrès scientifique, l'extension de la démocratie et un effondrement spectaculaire du prix des biens de consommation, en particulier de haute technologie, dont nous profitons tous les jours.

La seconde, tout aussi erronée, pour faire croire qu'on a le temps, qu'il est possible de différer les solutions, que l'on peut sans dommage faire l'inverse de ce que mettent en œuvre nos concurrents. Ce discours alimente une inquiétude pesante. Le refus d'un état des lieux franc, exigeant, a fini par convaincre les Français qu'on leur dissimulait la réalité. Celle-ci doit donc être pire que ce qu'ils peuvent craindre. Ce discours censé rassurer est en réalité celui qui crée et entretient la peur.

L'échec inéluctable du CPE

La crise du CPE ne constitue nullement la preuve, attendue par certains, redoutée par d'autres, que la France serait un pays irréformable. L'échec de cette réforme était en effet inéluctable.

Pas seulement pour des raisons de méthode, d'absence de concertation, ou de recours à l'article 49-3 de la Constitution pour obtenir l'accord de l'Assemblée nationale. En l'occurrence, l'usage de cette procédure a privé le gouvernement d'un vrai débat au Parlement qui lui aurait sans doute permis d'ouvrir les yeux plus tôt. Cela confirme l'intérêt qu'il y aurait à supprimer cet article. Mais le problème du CPE était plus grave encore. C'était une question de fond. Aucun jeune ne peut accepter d'être licencié au bout de deux ans sans qu'on lui explique pourquoi, au seul motif qu'il a moins de vingt-six ans. J'étais persuadé que le CPE serait vécu comme injuste pour la raison simple qu'il l'était. Au bout de quelques semaines, le CPE était rejeté par les jeunes et subi par les entreprises qui n'en voyaient pas l'usage tout en doutant de sa viabilité. Ceux à qui il était destiné n'en voulaient pas et ceux qui le combattaient y mettaient chaque jour davantage de cœur ! La CFTC était sur la ligne de la CGT et les chefs d'entreprise, inquiets des conséquences sociales, nous demandaient de renoncer.

J'ai regretté qu'on ne retire pas plus tôt le CPE tant il était évident qu'il ne pourrait pas passer. Le CPE était-il « la » réforme dont le droit du travail a besoin ? Non, même s'il constituait une forme d'assouplissement. Le CPE était-il une réforme emblématique pour la réussite du second quinquennat de Jacques Chirac, comme l'était celle des retraites ou celles que nous avons engagées dans le domaine de la sécurité ? Pas davantage. Le CPE risquait-il en revanche de caricaturer nos idées en flexibilisant le droit du travail sans renforcer par ailleurs la sécurité des salariés, en augmentant la segmentation du marché de l'emploi par des mesures dirigées exclusivement vers les jeunes, et en refusant le dialogue social ? Incontestablement oui. L'appétit d'égalité est tel en France que ce dispositif nous faisait courir un risque majeur. Être injuste, voilà une critique dont on ne se remet pas. Pour toutes ces raisons, j'ai estimé que le coût du soutien au CPE était beaucoup plus élevé pour la majorité que celui du renoncement.

J'ai pris le risque d'affronter la partie la plus déterminée de notre électorat car j'étais convaincu que la droite ne devait pas reproduire les erreurs du passé. Et, parmi celles-ci, offrir à la gauche le cadeau d'une droite caricaturale faisant rimer flexibilité avec précarité. C'était bien là le danger principal. Avec le CPE, la majorité ouvrait à la gauche un boulevard qui lui permettait de retrouver un élan qui l'avait quittée quatre années auparavant. En l'espèce, la question était beaucoup moins celle du courage, que celle de la lucidité. Passer en force une réforme accessoire, voire inutile, c'était donner à la gauche les clefs du scrutin de 2007. Nous avons arrêté les dégâts à temps, juste à temps !

Ce n'est pas parce que la droite républicaine s'est enfin décomplexée qu'elle doit maintenant s'abîmer dans les pièges de la caricature. La droite doit défendre avec le même acharnement que la gauche la justice, l'équité, l'équilibre. Plus encore, elle doit convaincre que c'est le changement qu'elle propose qui protège nos idéaux et construit une société plus juste tandis que l'immobilisme entretient les injustices. Ma conviction profonde est que le progrès est désormais dans le camp de la droite, la conservation dans celui de la gauche. Si toutefois nous ne sommes pas présents à ce rendez-vous qui n'est pas seulement celui de la générosité, de la solidarité, de la fraternité, mais aussi, et peut-être surtout, celui d'une certaine conception de l'homme, d'une certaine éthique, la droite ne pourra pas réunir une majorité de Français. Or c'est bien de cela qu'il s'agit : dépasser les limites de notre famille politique pour créer les conditions d'un rassemblement populaire qui saura moderniser la France.

Supprimer la double peine

Je suis fier d'être l'homme politique de droite qui a supprimé la double peine. Ce que la gauche avait rêvé de faire sans oser le mettre en œuvre, nous l'avons réalisé, démontrant l'ouverture d'esprit de la société française et la capacité de la droite à répondre à la fois à la demande de fermeté et à l'exigence de justice. Cette réforme restera une étape importante de ma vie politique. J'ai changé d'avis sur la question. Certains de mes proches amis ont été pris à contre-pied. La volonté politique a permis de créer des marges de manœuvre insoupçonnées. J'avoue avoir beaucoup appris à fréquenter les adversaires de la double peine.

La double peine était cette législation qui permettait à la justice ou à l'administration de renvoyer dans leur pays d'origine des délinquants étrangers, une fois purgée leur peine de prison, et ce quels que soient les liens personnels et familiaux que ces étrangers avaient avec la France. Sa suppression était l'une des cent dix propositions du candidat Mitterrand en 1981 ! La position de Lionel Jospin, vingt ans plus tard, était également qu'il fallait la supprimer, mais que les Français n'y étaient pas prêts. C'est au mieux une piètre conception du rôle des élus dans un pays démocratique, au pire un manque de courage. Pour la gauche, la stratégie était simple : plus on en parlait, moins on le faisait !

Je dois à l'honnêteté de reconnaître que je n'avais moi-même pas la moindre intention de mettre en œuvre cette réforme. Comme beaucoup de Français, je pensais que lorsqu'on a la chance d'avoir été accueilli en France, on est d'une certaine manière doublement coupable d'en enfreindre les lois. J'étais donc favorable à ce que les étrangers délinquants soient renvoyés dans leur pays d'origine.

C'est le cas de Chérif Bouchelaleg qui m'a conduit à réfléchir sur la double peine, à prendre la mesure de ma méconnaissance du sujet et, finalement, à changer d'avis. Chérif Bouchelaleg avait été condamné en France pour diverses infractions. À sa sortie de prison, il devait être reconduit dans son pays d'origine en application d'une peine complémentaire d'interdiction du territoire français. Comme souvent, la presse locale et nationale se faisait l'écho de la pression exercée par la famille – une épouse française et six enfants français – et les proches pour que l'autorité administrative renonce à l'éloignement. La note administrative qui m'avait été fournie sur cet individu entrait nettement en contradiction avec les informations de la presse, la première prétendant qu'il n'avait plus de contact avec sa famille, la seconde que celle-ci était souvent venue le voir en prison. Je décidai d'en avoir le cœur net et de téléphoner moi-même à l'un des journalistes qui suivait l'affaire.

Une fois passée la surprise de celui-ci, qui dut penser que je l'appelais pour lui faire des reproches, nous eûmes une longue conversation sur le cas de Chérif Bouchelaleg et, plus globalement, sur le sujet de la double peine. Je compris que la sécheresse des rapports de l'administration ne donnait pas une image exacte de ce que signifiait cette mesure. La double peine était inhumaine. Elle consistait à renvoyer dans leur pays d'origine des personnes, certes étrangères sur le papier, mais vivant en France depuis leur plus jeune âge, qui parfois même y étaient nées, qui n'avaient aucune attache, aucun lien avec le pays de leur nationalité, et qui avaient en outre le plus souvent une famille française. C'était cette famille qui était punie, déchirée, parce qu'un père, quelles que fussent par ailleurs ses fautes, était renvoyé à des milliers de kilomètres. C'était l'épouse qui était condamnée à vivre sans la personne qu'elle aimait, à élever seule ses enfants. C'était les enfants qui grandissaient sans la présence paternelle. L'État créait lui-même des familles monoparentales. J'étais ministre de l'Intérieur pour réprimer les délinquants, et Chérif Bouchelaleg avait purgé sa peine de prison. Pas pour punir ses enfants. Et je songeai à l'idée que ces enfants français se feraient à vie d'un pays qui les aurait séparés de leur père.

En poussant plus loin mes recherches, je compris également que la double peine était inapplicable. La situation encourue par les familles était tellement dure que la plupart des personnes concernées préféraient rester en France dans la clandestinité. Dès lors, ma conviction était faite : il fallait réformer la double peine. Ma résolution était aussi forte qu'avaient été précises et personnelles mes investigations et longue ma réflexion. Je ne sous-estimais pas les obstacles, mais j'étais certain que la cause en valait la peine.

Le premier d'entre eux fut la réaction très négative du ministère de la justice et du ministère des affaires étrangères. Rien ne semblait justifier ces réserves. Elles causèrent toutefois nombre de difficultés dans le traitement individuel des dossiers, les questions de visas, de titres de séjour et de décisions judiciaires étant étroitement imbriquées. L'annonce que la législation allait être changée souleva par ailleurs un immense espoir parmi les familles concernées et plusieurs centaines de dossiers durent être réexaminés avant même que la loi soit modifiée. Enfin, et surtout, il me fallait convaincre la majorité UMP au Parlement. L'ampleur de la tâche ne tarda pas à se manifester car la gauche chercha à me mettre en difficulté en faisant inscrire à l'ordre du jour de l'Assemblée nationale, quelques jours à peine après l'annonce de mes intentions, une proposition de loi supprimant la double peine. Il n'était évidemment pas question, même pour les socialistes, de voter ce texte rédigé à la va-vite et sans aucune concertation préalable. Mais lors du débat, si quelques élus de la majorité soutinrent le principe de la suppression de la double peine, la plupart des parlementaires UMP exprimèrent une vive hostilité. Je ne me suis ni froissé, ni inquiété de cette position. Quelques semaines auparavant, c'était encore la mienne. J'entrepris en revanche de les convaincre, ainsi que l'opinion publique.

Pour mener ce travail, je déployai les méthodes dans lesquelles je crois, qui donnent à la vie démocratique sa noblesse et son intérêt : l'écoute, la concertation, le débat, la sollicitation du grand public par des interventions dans les médias et la pédagogie. Je pus m'appuyer sur quatre personnalités d'exception, investies chacune à sa manière dans le combat contre la double peine : Jacques Stewart, président de la Cimade, une association de défense des droits des migrants, Jean Costil, pasteur protestant de la région lyonnaise engagé depuis près de trente ans dans tous les combats en faveur des droits des étrangers, la double peine, la marche des beurs, le droit d'asile, Bernard Bolze, alors animateur de la campagne nationale contre la double peine (« une peine point barre ») et Bertrand Tavernier, cinéaste bien connu et réalisateur de ce film magnifique *Histoire de vies brisées – les doubles peines de Lyon*, qui suit la grève de la faim menée à Lyon, en 1998, pendant cinquante et un jours, par une dizaine d'étrangers. Ce film décrit mieux que je ne peux le faire ici les conséquences de la double peine sur les couples, les enfants et les familles, les incohérences de la législation, le malaise de l'État, conscient des difficultés, mais incapable de les résoudre. J'ai beaucoup regretté que Jean-Louis Debré, en tant que président de l'Assemblée nationale, n'ait pas accepté que ce film soit projeté aux parlementaires.

Au cours de ces quatre années d'activité gouvernementale, j'ai croisé beaucoup de personnalités exceptionnelles et il y a une certaine frustration pour moi, une certaine injustice vis-à-vis d'elles, de ne pouvoir toutes les nommer et les décrire. Je le fais pour ces quatre personnes parce qu'elles sont à mes yeux un exemple de ce que produit de mieux le mariage de l'engagement et de l'honnêteté intellectuelle. J'ignore les opinions politiques personnelles de chacune d'elles. Je me doute que pour certaines, sinon pour toutes, elles sont d'une autre couleur que les miennes. Mais à vrai dire, cela n'a aucune importance. Ce qui compte, c'est le courage qu'ils ont eu tous les quatre de me faire confiance et d'engager le dialogue quand tant d'autres décidaient de rester en retrait pour des raisons idéologiques qui sont une des causes de l'immobilisme français. Lorsque le groupe de travail que j'avais nommé rendit ses conclusions, Bernard Bolze eut l'honnêteté de les défendre et de dire qu'elles constituaient une incontestable avancée. Je sais que sa position ne fut alors pas facile. Certaines associations cherchèrent en effet à s'emparer d'une ou deux hésitations de ce qui n'était qu'un rapport pour contester ma bonne foi. Lorsqu'ensuite je présentai ma réforme, qui allait au-delà des propositions du groupe de travail, il n'a pas fait la fine bouche sous prétexte que c'était un ministre de droite qui faisait avancer la cause dans laquelle il croyait.

Plus tard, lorsque mes collaborateurs demandèrent à Bertrand Tavernier de témoigner dans un petit film réalisé pour le congrès de l'UMP de novembre 2004 au cours duquel j'ai été élu président, celui-ci accepta immédiatement pour dire, sans précaution oratoire, ce qu'il savait de moi : que j'avais pris l'engagement de supprimer la double peine et que je l'avais tenu. Un certain nombre de personnes, que j'avais largement aidées ou soutenues dans l'exercice de mes fonctions, également sollicitées, n'eurent pas la même honnêteté.

Grâce à leur courage, la réforme fut votée à l'unanimité par les députés. Elle ne souleva aucune contestation parmi les Français. Curieusement, jamais le président de la République n'a évoqué la suppression de la double peine comme un élément positif de son bilan. Je l'ai regretté car elle correspond pourtant à son inclination personnelle. Cette occultation demeure pour moi un mystère.

La suppression de la double peine restera pour ma part la meilleure démonstration de ce que peut avoir de plus passionnant la politique, en transcendant les clivages et en rassemblant des hommes et des femmes aux convictions si différentes. C'est un exemple source d'optimisme, car il montre que la politique au sens noble du terme peut permettre de débloquer des situations en trouvant des marges de manœuvre et en suscitant des consensus inattendus. Elle montre que les Français peuvent accepter que l'un de leurs responsables politiques change d'opinion sur une question sensible. Si c'est sincère, authentique, cohérent, l'opinion publique est beaucoup plus tolérante qu'on ne le pense.

Agir dans une société complexe

On a beaucoup dit que j'avais proposé de supprimer la double peine pour équilibrer mon texte sur la maîtrise de l'immigration. Je l'assume, sans rien retirer à mes convictions de fond exprimées par ailleurs. Je revendique en effet l'équilibre comme une condition de la réforme dans les sociétés complexes qui sont les nôtres aujourd'hui. C'est même une condition essentielle.

L'immigration est une question très difficile. Les écarts de richesse entre les pays développés et les pays pauvres, les évolutions démographiques divergentes – vieillissement au Nord, forte natalité au Sud –, les facilités de circulation de l'information, le développement du transport aérien, accroissent la pression migratoire qui s'exerce sur les pays de l'hémisphère nord. L'immigration maîtrisée et choisie, le brassage des populations sont un enrichissement pour chaque nation, une condition du renouvellement. Mais en même temps, l'immigration massive ne peut pas être un objectif en soi, ni la solution aux problèmes Nord-Sud comme feignent de le croire ceux qui proposent la suppression des frontières, ni même la solution au vieillissement car les immigrés vieillissent eux-mêmes et sont évidemment en droit de bénéficier de prestations de retraite. L'immigration exige d'être régulée si l'on veut éviter de déséquilibrer trop brutalement les sociétés des pays de destination comme celles des pays d'origine. La France a toujours été un pays d'immigration. Je suis bien placé pour le savoir. Elle a vocation à demeurer ouverte, à se diversifier, à s'enrichir sous l'effet de l'arrivée de populations nouvelles. Mais elle n'a pas vocation à disparaître, à se dissoudre sous l'effet d'une immigration de peuplement massive.

Le gouvernement de Lionel Jospin ayant considérablement fragilisé notre législation, il était impératif de prendre les mesures nécessaires à une meilleure maîtrise de l'immigration. En même temps, je ne voulais pas que l'on passe d'un extrême à l'autre. Je n'ai jamais été favorable à l'immigration zéro, qui amènerait le pays, à supposer qu'on puisse l'appliquer, à se dessécher. Beaucoup d'étrangers vivent légalement en France et doivent être respectés pour ce qu'ils sont et ce qu'ils nous apportent. Pas moins d'un Français sur quatre a un grand-parent étranger. L'immense majorité des Français souhaite que l'immigration soit plus encadrée, mais la même majorité souhaite aussi que la France soit fidèle à son idéal de tolérance et de générosité. Les Français veulent de la fermeté à l'égard de l'immigration clandestine, mais ils supportent difficilement qu'on éloigne hors de nos frontières l'étranger en situation illégale qui habite près de chez eux. Enfin, la plupart de nos compatriotes attendent de l'État qu'il régule l'immigration, mais qu'il le fasse avec humanité, en s'attaquant aux réseaux, en respectant la dignité des personnes, en protégeant les plus fragiles, et surtout en mettant en œuvre une vraie politique d'aide au développement, seule à même de stabiliser les populations dans leur pays d'origine. Ce sont toutes ces réalités, ces demandes apparemment inconciliables, ces exigences antinomiques, qui forment ce qu'on appelle une société complexe.

Là où beaucoup voient contradictions et incohérences, je pense complexité et complémentarité. La tâche d'un responsable politique est de savoir interpréter ces sentiments antagoniques pour tenter de leur donner un sens, une solution, une perspective.

La vérité est qu'il n'y a pas, d'un côté, les laxistes généreux au grand cœur, et de l'autre, les partisans d'une fermeté inhumaine. Les deux sentiments cohabitent en chacun de nous. Il n'y a pas non plus deux France. L'une qui serait généreuse et ouverte, l'autre qui serait frileuse et pingre. Il y a une seule France qui veut tout à la fois : la fermeté et la générosité ; la fraternité et l'ordre ; la solidarité et la responsabilité.

En supprimant la double peine, le gouvernement envoyait un signal d'ouverture et de générosité à l'égard des étrangers vivant depuis longtemps chez nous. Il établissait une différence claire entre une politique de maîtrise des flux migratoires et une conception raciste et xénophobe de l'immigration. C'était un équilibre qui apaisait les débats, rendait la réforme possible, et je suis persuadé que beaucoup de Français souhaitaient que nous agissions de la sorte. Ce sont exactement les mêmes raisons qui m'ont conduit à installer la Croix-Rouge et l'Anafe, une association de défense des droits des étrangers, au sein de la zone d'attente de Roissy, à faire accompagner tous les retours groupés d'étrangers par des observateurs indépendants, ou encore, plus récemment, à interdire les reconduites à la frontière pendant l'année scolaire de familles en situation illégale ayant des enfants scolarisés en France. Parce que tout est toujours immensément sensible quand il s'agit d'enfants, j'ai demandé à l'avocat Arno Klarsfeld de dresser un état des lieux du nombre de familles concernées et de me proposer une solution humaine permettant de régler au cas par cas la situation de ces enfants que notre école a fait siens, ainsi que celle de leurs parents.

Cette recherche d'équilibre n'enlève rien à la sincérité qui était la mienne lorsque j'ai proposé la suppression de la double peine. Si j'ai pu convaincre l'UMP et nos compatriotes de la nécessité de cette réforme, c'est que j'en étais moi-même convaincu. Si elle m'a par ailleurs aidé à éviter les amalgames et l'incompréhension, à clarifier l'image que nous voulions donner de la France sur le sujet de l'immigration, tant mieux. J'observe d'ailleurs que l'équilibre a joué dans les deux sens. C'est aussi parce que j'ai proposé des mesures fermes dans le domaine de l'immigration clandestine que les Français et les parlementaires de l'UMP ont pu me suivre sur la réforme de la double peine.

L'équilibre, ce n'est pas la moitié d'une idée forte. Cela, c'est la tiédeur, ce que la France pratique hélas depuis si longtemps. L'équilibre, ce sont deux idées justes et fortes qui se complètent et qui rendent possible la réforme.

En matière d'immigration comme en d'autres domaines, je suis convaincu qu'on ne peut être ferme sur la durée que si l'on est juste. J'ai toujours eu cette préoccupation au point d'en faire une obsession. Dans notre pays si imprégné de l'idée d'égalité, la question de la justice est centrale. Chacun doit avoir sa chance, chacun doit être reconnu pour ce qu'il fait et a fait, chacun doit être convaincu qu'il peut s'en sortir. J'aime le mot « justice ». Je n'éprouve pas le besoin de lui accoler systématiquement le terme « sociale ». Je trouve qu'alors on réduit sa portée, on l'affaiblit, pour tout dire on le banalise.

Les clivages se déplacent

Une partie du divorce entre les citoyens et la politique, entendez la politique telle que nous la pratiquons, provient sans doute de notre incapacité à comprendre que les clivages passent de moins en moins au sein de la société, et de plus en plus au sein des individus. Elle résulte aussi de notre difficulté à identifier ou à donner une signification à des attentes qui se déplacent. À notre décharge, les clivages sont d'autant plus mobiles que notre époque est incertaine. Nous vivons une période de transition entre deux mondes. Nous voyons clairement celui que nous quittons sans bien discerner encore celui qui apparaît.

Par des prestations sociales abondantes, par une politique de redistribution toujours plus généreuse, la gauche entend répondre à l'exigence de solidarité qu'elle perçoit au sein de la société, et elle n'a pas tort. Ce faisant, elle oublie de répondre au désir de ces mêmes Français que la responsabilité individuelle ne soit pas négligée. Les Français comprennent et souhaitent que chacun soit protégé contre les coups durs par l'existence du RMI ou d'allocations chômage généreuses. Ils sont en revanche indignés de voir qu'on peut rester pendant des années à vivre de la générosité sans être obligé de reprendre un travail ou d'avoir une activité.

La gauche voit dans le patrimoine le symbole de la réussite bourgeoise qu'elle abhorre. Ce faisant, elle ignore que tous les Français veulent transmettre à leurs enfants en franchise d'impôts le fruit du travail de toute leur vie. Ce désir s'exprime d'ailleurs de plus en plus tôt. Les parents veulent aider leurs enfants à s'installer dans la vie, non pas attendre que ceux-ci aient cinquante-cinq ou soixante-cinq ans pour leur transmettre à leur mort un héritage. J'ai été frappé par le succès qu'a rencontré, dans toutes les catégories sociales, l'exonération des droits de transmission que j'ai instituée en 2004 sur certaines donations anticipées de patrimoine aux enfants et aux petits-enfants. Je savais que la mesure serait populaire et utile. Je ne pensais pas que ce serait à ce point. L'exonération des droits de succession, pour tous les patrimoines petits et moyens, c'est-à-dire pour 90 à 95 % d'entre eux, n'est pas une mesure fiscale. C'est une mesure familiale qui transcende les clivages politiques anciens.

La droite de son côté vilipende la politique des 35 heures qui dévalorise le travail et sape la compétitivité de nos entreprises dans une concurrence internationale de plus en plus vive. Et elle a raison. Ce faisant, elle sous-estime sans doute le souhait d'un grand nombre de nos concitoyens de pouvoir aussi, à certains moments de leur existence, trouver un autre équilibre entre leur vie professionnelle et leur vie personnelle et familiale. En réalité, nos attentes changent au cours de notre vie. Jeune, on est prêt à travailler sans compter pour fonder sa famille, acheter son logement, démarrer sa carrière. Plus tard, on recherche un meilleur équilibre entre le travail, les loisirs, la vie de famille. Enfin, une fois les enfants élevés, certains sont prêts à reprendre une activité professionnelle plus dense. Plutôt que la politique uniforme et rigide des 35 heures, le couperet de la retraite à soixante ans, je pense que nos compatriotes attendent une politique du libre choix qui permet à celui qui veut gagner plus de travailler davantage et à tous de moduler leur temps de travail en fonction de leur cycle de vie.

Trois vies en une
Parler des femmes. Parler aux femmes. Le faire sans démagogie, sans volonté racoleuse, sans complaisance douteuse. Le faire avec le souci de comprendre, de respecter et même d'oser. Oser dire

des choses sensibles sans être mièvre. Oser être vrai sans être approximatif. La vie d'une femme de 2006 est plus difficile que celle de nombre d'hommes. Une vie de femme, c'est rien moins que trois vies concomitantes, parfois contradictoires, toujours prenantes. Une vie de femme, une vie de mère, une vie de travail. La grande question réside dans la conciliation des trois. L'ambition la plus fréquente, c'est de ne renoncer à aucune. Au fond, le vrai luxe, c'est de ne pas avoir à choisir pour pouvoir cumuler tous les sentiments en une même journée. Pour permettre la satisfaction de ces aspirations féminines modernes, il nous faut organiser différemment notre société.

D'autant plus que l'accession des femmes à des postes de haute responsabilité constitue un facteur important de transformation de la société. Les femmes impulsent là elles se trouvent des manières de faire, de penser, d'agir qui sont différentes, complémentaires. La promotion des femmes reste toutefois terriblement lente. Les femmes représentent près de 56 % des fonctionnaires civils de l'État, mais occupent seulement 10 % des postes de hauts fonctionnaires, 80 % des élèves de l'École nationale de la magistrature, mais seulement 8 % des hauts magistrats. Elles ne sont que 6 % parmi les administrateurs de société, 10 % parmi les PDG, 12 % parmi les députés. Plusieurs facteurs l'expliquent : la persistance d'inégalités de qualifications, l'existence de discriminations, volontaires ou involontaires, mais aussi la difficulté pour les femmes de tout concilier. Beaucoup finissent par devoir renoncer.

Il faut permettre l'exonération fiscale complète des sommes que les familles consacrent à la rémunération des emplois familiaux. Une famille est d'une certaine manière une petite entreprise. Il n'est pas illégitime qu'elle puisse totalement déduire ses charges, ce qui serait en outre bénéfique à l'emploi.

Il faut ensuite multiplier les crèches d'entreprise, sans omettre de relever qu'il est inacceptable que les femmes soient pénalisées à l'embauche ou dans l'évolution de leur carrière parce qu'elles attendent un enfant. C'est hélas encore très fréquent. Je propose aussi de généraliser dans tous les établissements scolaires la mesure que j'ai expérimentée dans les Hauts-de-Seine, qui consiste à permettre à tous les élèves de bénéficier d'études surveillées au sein des établissements entre 16 h 30 et 18 h 30 ou 19 heures. Cela permettrait aux mères d'être rassurées sur ce que font leurs enfants entre la fin de l'école et le début de la soirée et aux enfants de rentrer à la maison les devoirs faits.

Nous ne savons pas répondre à la demande de certaines mères de pouvoir mieux moduler leur temps de travail en fonction de l'évolution de leurs contraintes familiales. Certaines femmes voudraient pouvoir avoir aussi du temps libre quand leurs enfants sont adolescents ou quand leurs parents sont très âgés. Penser le temps de travail sur la durée de la vie, pas sur la durée hebdomadaire, est la solution. Enfin, je suis frappé par le fait que la France est sans doute l'un des rares pays où il est habituel d'avoir des réunions de travail le soir, notamment les plus importantes, ce qui en exclut de fait beaucoup de femmes. À l'image de l'Espagne, il faut que nous fassions un effort pour commencer nos journées de travail plus tôt dans la matinée, les terminer plus tôt dans l'après-midi et éviter les réunions après 18 heures.

Le rythme de la réforme

Je ne partage pas l'avis de ceux qui pensent que tout doit être mis en œuvre dans les cent jours suivant une élection, car après, la dynamique électorale étant retombée, plus rien ne serait possible sans braquer les électeurs pour l'élection suivante.

J'observe d'abord que le risque de ne pas être réélu n'est pas une excuse suffisante pour cesser d'agir plusieurs années avant la fin du mandat. C'est une méthode qui, au contraire, a fait la preuve de son inefficacité puisque, depuis 1981, aucune majorité n'a été réélue. Je pense ensuite que, si certaines réformes sont en effet plus faciles dans les trois premiers mois qui suivent une élection, l'incapacité à agir au cours des mois et des années suivants naît d'un manque de méthode, et plus encore d'un manque de foi dans l'attente que les Français ont du changement. Je pense surtout que la première erreur, très répandue, est d'engager une réforme après l'autre. On fait les retraites, puis l'éducation, et enfin la Sécurité sociale à moins que cela ne soit l'immigration. Avec ce système, on s'arrête souvent dès la deuxième réforme, épuisés par les batailles engagées pour la première. On cumule ainsi tous les inconvénients sans bénéficier des avantages du changement. Autrement dit, on en fait suffisamment pour réveiller les conservatismes et autres corporatismes, pas assez pour susciter l'adhésion de la partie la plus moderne de la société.

Nous avons eu ce débat au lendemain de l'élection de Jacques Chirac au printemps 2002. J'étais partisan d'engager simultanément, sur les trois premiers mois, les réformes des retraites, de l'assurance maladie et de l'Éducation nationale. J'étais persuadé que la dynamique ainsi enclenchée nous permettrait de faire passer nos projets plus facilement. Jacques Chirac ne l'a pas souhaité, son analyse étant que la société française est rétive aux changements et qu'il ne fallait pas prendre le risque de la brusquer. Au final, nous avons réussi la réforme des retraites grâce à Jean-Pierre Raffarin et à François Fillon, mais nous avons dû réduire les ambitions de celle de l'éducation. Quant à l'assurance maladie, chacun sait bien que l'essentiel reste à faire. Je ne peux hélas que constater qu'après le choc électoral du 21 avril, les électeurs ont persisté à envoyer des coups de semonce puisqu'aux élections régionales de 2004, 20 régions sur 22 ont été perdues par le gouvernement en place, et qu'au référendum de 2005, le non l'a emporté avec 55 % des suffrages.

Dans mon esprit, la capacité à réformer dépend moins de la question des cent jours que d'une campagne électorale franche, précise, et d'un gouvernement dont la ligne de conduite première serait de faire ce qu'il a dit. De ce point de vue, il est évident que la France a beaucoup souffert du débat tronqué qui a opposé Jacques Chirac à Jean-Marie Le Pen en 2002. Aucun des grands sujets de la société française n'a pu être tranché ou même évoqué pendant la campagne du second tour tant l'urgence du barrage à Le Pen a tout emporté. Les gouvernements successifs de Jacques Chirac en ont pâti car le mandat n'était pas clair pour les décisions les plus lourdes. Les électeurs n'ayant pas été préalablement informés des alternatives possibles, les réformes n'en furent que plus difficiles à faire accepter.

La prochaine campagne présidentielle se devra d'être différente. C'est pour moi une priorité. Notre projet devra être argumenté, précis, chiffré. Il n'y a rien de pire qu'une campagne électorale sans engagements. Toutes les grandes questions, telles que celles portant sur le nombre de fonctionnaires, l'autonomie des universités, la réforme du code du travail, l'instauration du service minimum, la modification de l'ordonnance de 1945 sur la délinquance des mineurs... et tant d'autres devront être abordées avec précision pour que la future majorité puisse appliquer un programme validé par le suffrage universel.

Ce n'est pas seulement une question de franchise et d'honnêteté ! C'est aussi une affaire de passion. Comment passionner à nouveau les Français avec la politique si on ne prend pas la peine de proposer des solutions à la fois fortes et crédibles ?

La diversité renforce l'unité

Mon diagnostic est désormais bien assuré. La France ne souffre pas de trop de politique, mais au contraire de pas assez. Notre réponse à la montée de l'abstention, au vote protestataire, à la désespérance, ne peut résider que dans notre volonté de redonner sens à la politique, vie au débat d'idées, force à l'action gouvernementale. D'ailleurs, pour le second tour des présidentielles de 2002 et pour le référendum de 2005 sur la Constitution européenne, les Français se sont fortement mobilisés. Lorsqu'elle a un enjeu, lorsqu'il y a du débat, la politique n'a jamais cessé de passionner nos concitoyens.

C'est cette conviction profonde qui me conduit, en tant que président de l'UMP, à rechercher dans notre diversité le ciment de notre unité. Le parti socialiste est uniforme, mais divisé. L'UMP est multiple, mais unie.

Depuis 1974, date de ma première adhésion à un parti politique, à l'époque l'UDR, je n'ai jamais cessé d'appartenir à la formation gaulliste. Je n'ai connu qu'elle. Je n'ai jamais eu la tentation de la quitter. Même lors que je fus minoritaire au sein du RPR au lendemain de 1995, je ne me suis jamais posé la question de mon départ.

Les orateurs gaullistes me séduisaient, Jacques Chaban-Delmas, Michel Debré, Alexandre Sanguinetti, Charles Pasqua et plus tard Jacques Chirac, faisaient résonner en moi ce désir d'engagement qui ne demandait qu'à se réaliser. Par-dessus tout me plaisaient ces émotions collectives. Dans la victoire comme dans la défaite, j'éprouvais du plaisir à vivre mes sentiments avec d'autres que je sentais à la fois si proches et tellement différents. Je n'aurais donné ma place pour rien au monde. Ces longues années comme simple militant m'ont permis de gravir tous les échelons et d'exercer toutes les responsabilités. Mais je n'ai jamais oublié les aspirations de l'adhérent de base que j'ai été. Je n'ai pas toujours été à la tribune. Longtemps je fus dans la salle, c'est ma spécificité et peut-être aujourd'hui ma force. Je crois connaître les aspirations du public car j'en viens.

Cette expérience m'a appris à me méfier des réflexes traditionnels qui menacent tout dirigeant d'un parti politique. Je me suis assez vite détourné des « rossignols » de la rhétorique politique partisane qui, au nom de l'unité, cherchent à faire taire toute expression différente ou toute proposition originale. Combien de fois ai-je entendu demander le retrait d'une motion, d'un amendement, d'une proposition, au nom de la sacro-sainte unité ? Combien de fois ai-je assisté aux incantations traditionnelles sur la discipline qu'il fallait respecter, sous peine de voir le parti éclater ?

Dans mes fonctions de président de l'UMP, c'est un sentiment exactement contraire qui m'anime. Je suis persuadé que l'unité n'est pas la « cause », mais la « conséquence » : la conséquence d'un débat continu, permanent, sans tabou, et surtout sans crispation. C'est justement parce que le débat aura été jusqu'au bout que l'unité sera solide, respectée, et partagée par tous.

La concurrence est indispensable à la vie politique. Elle seule permet d'étalonner les valeurs et de sélectionner les meilleurs. Contrairement à ce que l'on a souvent dit, elle n'est pas facteur de division. Une compétition loyale peut être un ferment d'unité. J'ai été élu pour la première fois en 1977. Depuis cette date, c'est-à-dire en trente ans de vie politique, je me suis soumis quatorze fois au verdict du suffrage universel, quasiment une fois tous les deux ans. C'est une réalité dont les Français n'ont pas vraiment conscience, eux qui ont le sentiment de voir toujours les mêmes têtes. À toutes les étapes de ma carrière, j'ai été confronté plus qu'aucun autre à la concurrence au sein de ma famille politique. J'ai été en concurrence avec Charles Pasqua, Alain Juppé, Jean-Pierre Raffarin, Dominique de Villepin... la liste est longue. Je n'ai jamais trouvé que c'était injuste. Je l'ai toujours accepté comme une forme de parcours initiatique qui m'a appris, qui m'a obligé à donner le meilleur de moi-même, qui m'a stimulé pour tenter de m'améliorer, qui m'a contraint à changer, qui m'a incité à me nuancer et, ce faisant, à densifier mes analyses et mes convictions. En politique, il est plus dangereux d'avoir été juste nommé que d'avoir été contraint de conquérir. La conquête enseigne l'humilité, la précarité des choses, la vanité des situations. La nomination donne le pouvoir sans qu'il soit forcément mérité. Elle porte à croire que l'on sait, alors qu'on ne connaît pas. Sans cette concurrence, je n'aurais pas su ou pas pu me remettre en question.

Je suis certain que la liberté responsabilise ceux à qui on la reconnaît. L'inverse est tout aussi exact : c'est la contrainte qui crée les tensions les plus dures. Bien loin de la redouter ou de m'en effrayer, je recherche la diversité. J'aspire à la confrontation des arguments. Je crois à l'addition des identités et au respect des différences. La complexité des situations et des problèmes qu'un responsable politique doit dénouer ne peut que l'inciter à rechercher cette stratégie de la multiplicité et de l'ouverture. L'électorat français, désormais si composite, réclame une offre politique riche, déterminée, mais aussi pondérée et tolérante. Loin d'inquiéter, notre capacité à débattre imposera le respect et élargira notre espace électoral.

Ce raisonnement vaut pour les idées comme pour les personnes. J'ai souhaité m'entourer à l'UMP de personnalités très différentes dans leur caractère et dans leurs opinions. Avec autant d'esprits si variés, les journalistes politiques spéculent sur notre capacité à proposer aux Français un projet cohérent. On annonce des arbitrages douloureux. Mon ambition n'est pas d'arbitrer. Elle est de hiérarchiser, de concilier, de réunir. Je n'ai aucun doute sur notre capacité à y parvenir. De la richesse de nos convictions naîtra un projet équilibré.

Je vois la France comme un kaléidoscope. Elle a de multiples visages, de nombreuses facettes, des aspirations mélangées et c'est tant mieux. Toute la question est de savoir si la composition que nous serons capables de lui proposer et de faire avec elle, sera réussie. Sera-t-elle terne, banale, commune, ennuyeuse, insipide ? Sera-t-elle au contraire harmonieuse, brillante, fascinante à regarder ?

Et Jacques Chirac

Nous sommes beaucoup à le penser, les débats qui m'ont parfois opposé au président de la République ont déjà permis de faire de notre majorité ce lieu d'échange dans lequel de nombreux Français ont pu reconnaître leurs aspirations différentes. Je confesse que ce ne fut pas toujours aisé. Que sans doute parfois cela a pu aller trop loin. Je veux bien admettre que j'ai eu ma part de responsabilité dans certains affrontements qui auraient gagné à être moins rudes. Certains affirmeront que c'est une question de tempérament. On peut aussi considérer que c'est plus simplement une affaire de franchise ! Ceux qui me connaissent savent que je n'aime pas mentir, ni aux autres, ni à moi-même. Je dis ce que je pense. Je fais ce que je dis. Cela ne présente pas que des avantages, mais c'est ainsi.

Aussi, à ce point de mon propos, je veux m'expliquer sur mes relations avec Jacques Chirac. On a tant écrit sur le sujet ! Je ne reconnais pas la vraie nature de nos relations dans le portrait habituel qui en est fait. D'abord, nous nous parlons beaucoup plus qu'on ne le croit. Depuis quatre années, nous avons au moins une rencontre hebdomadaire en tête-à-tête. À cela s'ajoutent les conseils des ministres, où je suis assis à sa droite, et les réunions assez nombreuses sur les sujets les plus divers. Notre penchant commun pour les gens et pour la discussion fait que, même dans les périodes les plus tendues, nous sommes incapables de ne pas nous parler. Toutes ces occasions ne suffisent pas à épuiser les désaccords, mais au moins permettent-elles de lever les malentendus et aussi d'éviter que les entourages ne viennent inutilement compliquer une situation qui l'est parfois déjà suffisamment.

J'ai souvent entendu l'expression « haine inexpiable ou viscérale » pour qualifier nos relations. Je ne peux, ni ne veux faire parler le président de la République. En revanche, je peux et je dois parler en mon nom. La « haine » est un sentiment qui m'est parfaitement étranger. Je ne l'éprouve envers personne. Et à mon âge, il serait en outre déraisonnable d'être à ce point puéril. Je peux même dire, sans forcer le trait, que j'éprouve de l'admiration pour les qualités de Jacques Chirac. Son énergie, sa ténacité, sa force de caractère dans l'adversité, sa capacité à paraître et donc à être sympathique, sont des traits de caractère que l'on ne croise pas si souvent. Sa carrière aussi est exceptionnelle : député de la Corrèze, maire de Paris, plusieurs fois ministre, deux fois Premier ministre, deux fois président de la République... On ne parvient pas à une telle longévité sans posséder et développer un tempérament hors du commun. C'est un jugement incontestable. Je n'ai nul besoin d'être flatteur. Je ne le suis d'ailleurs pas. En écrivant ces lignes, je n'ai pas d'autre arrière-pensée que d'exprimer du mieux possible ma part de vérité.

Alors bien sûr, il y a aussi ce qui nous oppose et ce qui nous a opposés. J'ai soutenu Édouard Balladur. La belle affaire ! Compte tenu de la qualité de l'ancien Premier ministre, je ne vois pas la moindre raison de m'en excuser. Jacques Chirac lui-même en son temps avait préféré Valéry Giscard d'Estaing au candidat de sa famille politique, Jacques Chaban-Delmas. Je le crois suffisamment poli par l'expérience pour ne pas me reprocher ce qu'il avait lui-même fait à mon âge. Il est certain en revanche, il me l'a dit à plusieurs reprises, qu'il a pu être agacé par ma volonté de rester libre et ma tendance à ne pas obéir aux instructions dans lesquelles je ne retrouvais pas mes convictions. Mais peut-être au fond que ce tempérament lui en rappelle un autre !

Au final, il y a surtout des désaccords de fond entre nous. Ils ne sont pas insurmontables, ils n'empêchent nullement de gouverner, mais ils expliquent que lui c'est lui, et moi c'est moi.

Le premier a trait à notre positionnement politique. Il rechigne depuis longtemps à se réclamer de la droite républicaine. À l'inverse, cela ne me gêne nullement. J'y vois une clarté nécessaire, salutaire et utile. Il considère que le président de la cinquième République est un arbitre qui rassemble et qui apaise. Je le vois comme un leader qui décide, entraîne et assume. Il pense la France fragile et rétive au changement. Je l'imagine impatiente, exaspérée par les atermoiements, et désireuse de changements profonds. Il croit davantage à la qualité des hommes qu'à la force des projets. Je n'imagine pas que l'on puisse gagner des élections sans dire précisément ce que l'on peut et ce que l'on va faire. Je crois à la modernité des idées. Tout ne se résume pas, selon moi, à la force de l'empathie !

Nous ne sommes pas « agacés » par les mêmes choses. Lui l'est par le libéralisme, les Américains, certains chefs d'entreprise, ceux qui n'ont pas ses idées sur l'Europe, qualifiés rapidement d'irresponsables et d'incompétents. Je le suis par le manque de constance, la tergiversation, les promesses non tenues, le refus de voir la France telle qu'elle est, les idées reçues. Même dans notre façon de prononcer les discours, la différence est flagrante. Il scande des discours longuement relus avec ses collaborateurs. Il sait susciter l'enthousiasme. Je prononce des interventions que j'ai laborieusement écrites en cherchant à convaincre plutôt qu'à enflammer.

C'est un secret de polichinelle, il ne voulait pas que je me présente à la présidence de l'UMP, et j'ai bravé cet oukase présidentiel. Je pense néanmoins pouvoir affirmer que, chaque fois qu'il s'est agi de gérer une situation délicate, j'ai pu compter sur la confiance de Jacques Chirac. Professionnellement, j'allais dire techniquement, il m'a toujours laissé beaucoup de liberté. Politiquement, c'est autre chose… Dans la gestion des crises, celle des banlieues comme celle du CPE, je me suis souvent trouvé en harmonie avec son analyse et j'ai apprécié, à chaque fois, la confiance qu'il me témoignait. Quant aux conséquences à tirer de ces crises, c'est une tout autre affaire. Nos désaccords portaient sur le fond autant que sur la forme.

Ainsi sont mes relations avec Jacques Chirac : plus complexes, plus profondes, plus frontales aussi qu'on ne le dit parfois. Je me suis souvent demandé ce qu'il fallait faire pour mériter sa confiance politique tout en n'étant pas prêt à payer le prix de la docilité. Nombre de ceux qui se disent ses amis lui ont causé bien davantage de tracas que je ne le ferai jamais moi-même. Je ne suis pourtant pas inscrit sur la liste de ceux-ci. Je l'ai admis une fois pour toutes. C'est une donnée, j'ai décidé de faire avec.

Chapitre VII

J'ai parlé de la rupture pour la première fois aux Universités d'été de l'UMP en septembre 2005. Je me souviens parfaitement de la tête consternée de nombre de mes amis et de certains de mes conseillers lorsque j'ai commencé à évoquer ce thème. Je m'y attendais. Ce qui était devenu pour moi une évidence à force d'y avoir beaucoup réfléchi, était pour eux une nouveauté et une surprise.

Chacun y allait de son commentaire. Le mot « rupture » était trop violent, pas assez policé, et même anxiogène. Il allait inquiéter alors que je devais rassurer. Il allait détourner de moi l'électorat le plus légitimiste. Il allait désorienter les électeurs les plus âgés. Une fois encore, que n'avais-je employé un vocabulaire plus classique ! Changement, alternance, réforme voulaient dire la même chose sans présenter les mêmes inconvénients.

En vérité, si j'ai employé le mot rupture, c'était bien un choix délibéré. L'alternance classique entre la gauche et la droite a beaucoup déçu, le mot changement a perdu toute signification puisqu'il n'est jamais suivi de lendemain, et le mot réforme a fini par ne plus rien exprimer à force d'être utilisé à tort et à travers. Quant aux risques… Qui peut espérer emporter le débat présidentiel sans en prendre ? Je crois en une action politique plus généreuse et à un engagement total. Les faits ne tardèrent pas à me conforter puisque la totalité de mes contradicteurs se donnèrent, dans les semaines qui suivirent, beaucoup de mal pour incarner et même revendiquer, chacun à leur manière, la désormais fameuse rupture.

Rompre avec ce qui nous affaiblit

La rupture que j'appelle de mes vœux n'est pas une rupture avec la France que nous aimons. Elle n'est pas une rupture avec nos idéaux, nos valeurs de solidarité, notre conception de l'État, notre tradition d'ouverture, notre ambition, à la fois tellement audacieuse et désormais si naturelle, de peser sur le destin du monde. La rupture dont il s'agit, c'est une rupture avec la méthode. C'est une rupture avec la manière dont nous faisons de la politique depuis des années. C'est une rupture avec cet immobilisme qui justement va à l'encontre de nos idéaux, de nos valeurs et de cette « certaine idée de la France ». C'est une rupture enfin – c'est son but – avec ce désespoir qui nous vide de l'intérieur et ouvre tout grand les vannes aux extrémismes de toutes sortes.

J'entends déjà ceux qui ironisent sur mes fidélités anciennes, mes engagements passés, mon appartenance à l'actuel gouvernement, mon implication depuis de longues années dans la vie politique de notre pays. Je ne désavoue rien de tout cela. Mais ce qui serait catastrophique, ce serait, en trente ans de vie politique, de n'avoir pas changé. D'être le même qu'il y a dix ou vingt ans, avec les mêmes impatiences, les mêmes ignorances, les mêmes excès, les mêmes insuffisances, le même diagnostic et le même programme. De n'avoir tiré aucune conséquence, d'abord de mes échecs, ensuite et surtout des trois chocs électoraux subis par notre pays depuis 2002. Je ne suis pas le même qu'il y a trente ans. Je ne serai pas le même dans vingt ans, si Dieu me prête vie jusque-là. Heureusement !

À la différence de beaucoup de jeunes de ma génération, je ne me suis jamais égaré ni dans les utopies gauchistes des années 1970 ni dans le nationalisme et les groupuscules d'extrême-droite qui leur faisaient face. Mes idées fondatrices, les valeurs sur lesquelles j'ai bâti ma vie publique et privée, sont fidèles à ce que j'ai reçu, aux lectures et aux expériences que j'ai eues à l'âge où la pensée devient autonome et où les idéaux se construisent. Elles n'ont pas varié depuis. Elles se sont enrichies, nuancées, simplifiées sans doute aussi, car la vie se charge de dénicher et d'anéantir les leurres et les envolées dont on croit subtil d'embarrasser sa pensée quand on est jeune. Je l'espère en tout cas. Mais je n'en renie aucune, comme je ne regrette aucun des engagements importants que j'ai pris. C'est pour moi un motif de fierté. Cela ne m'empêche pas de confronter ces idées et mon action passée à la réalité de la France d'aujourd'hui. C'est même mon devoir. Mon expérience gouvernementale depuis 2002, où j'ai essayé d'appliquer les leçons que j'ai tirées du scrutin du 21 avril, les résultats des élections qui ont eu lieu depuis, l'évolution du monde, la place qu'y tient la France, le regard que l'on porte sur elle, tout cela me conduit à penser que c'est effectivement de rupture dont nous avons besoin. Cette rupture n'a rien d'inquiétant. Elle n'est pas le rejet de convictions antérieures, mais une volonté de changer de méthode et, plus que tout, une énergie pour le faire.

Rompre avec le mensonge

Depuis vingt-cinq ans, le dynamisme de notre pays est paralysé, étouffé, par la superposition de trois mensonges. C'est d'abord avec eux que nous devons rompre.

Le premier prétend qu'il est plus juste de se partager collectivement des richesses inexistantes que d'aider chacun à s'en créer.

La spécialité des socialistes français est de distribuer des richesses qui n'existent pas. Ils augmentent le SMIC, les prestations sociales, le nombre de fonctionnaires, ils construisent des logements sociaux. La démarche est séduisante, comment y résister ? Personne n'accepte les inégalités. Personne ne veut une République moins sociale. Personne ne prétend qu'on vit bien aujourd'hui avec le RMI ou l'ASS ou qu'avec le SMIC, il est facile pour une famille de joindre les deux bouts. Je suis aussi conscient que chacun qu'il faut améliorer le sort de tous ceux qui souffrent. Ce n'est pas qu'une question d'humanité, c'est l'intérêt même de la société dans son ensemble, c'est la condition de son équilibre, de sa cohésion.

Mais avant de distribuer, encore faut-il créer des richesses. Or, les faits sont là : la France crée de moins en moins de richesses depuis trente ans. Ce que les socialistes anglais, allemands, scandinaves ont compris depuis longtemps, les socialistes français s'obstinent à le réfuter. Après l'illusion des emplois-jeunes et des 35 heures, ils viennent de créer l'illusion du SMIC à 1 500 euros bruts. En agissant de manière autoritaire, dirigiste, déconnectée des gains réels de la productivité, ils troquent l'espérance d'une vie plus confortable contre le risque certain d'une précarité implacable. Augmenter le SMIC sans tenir compte des réalités économiques, c'est conduire les entreprises à diminuer leur activité, à réduire l'embauche, à licencier par milliers. Ce que certains gagneront, beaucoup plus le perdront. Comme avec les 35 heures, le compte n'y sera pas. Je conteste en outre que cette mesure soit juste. Porter autoritairement le SMIC à 1 500 euros, c'est exiger des Français qu'ils renoncent à toute ambition personnelle. Cette mesure absorberait toutes les marges de manœuvre des entreprises en matière de politique salariale. Elle ne concernerait que les Français qui touchent le salaire minimum et pas ceux dont le niveau de rémunération est légèrement supérieur et dont les salaires n'augmentent pas depuis des années. Ce n'est plus chacun selon ses efforts, son ancienneté dans l'entreprise et les performances de celle-ci, c'est chacun la même chose.

Le pouvoir d'achat est à mes yeux une question centrale. Il peut et il doit augmenter. Mais ce n'est ni par la dégradation de la compétitivité des entreprises, ni par le chômage que nous y parviendrons. C'est par le dynamisme de notre économie et par le plein-emploi. Le plein-emploi est possible. Aussi curieux que cela puisse paraître, sa clef réside dans le travail. C'est en travaillant plus que nous créerons de l'emploi pour tous car le travail des uns crée le travail des autres. Un *senior* qui reprend un emploi, un jeune qui signe son premier contrat de travail, une femme qui passe du temps partiel au temps plein, un plan social qui est évité, c'est à la fois plus de pouvoir d'achat dans le foyer des salariés concernés et des emplois supplémentaires pour l'ensemble de l'économie grâce à la consommation et à l'activité induite par ce surcroît de travail. C'est pourquoi je pense que notre priorité doit être d'inciter et de récompenser le travail : en permettant aux entreprises de réussir et d'augmenter les salaires de tous les salariés ; en exonérant de toutes charges sociales et de toute imposition sur le revenu les heures supplémentaires, seule manière de nous sortir enfin de l'erreur magistrale des 35 heures. J'affirme que par le travail nous donnerons à chacun un emploi, et à tous du pouvoir d'achat.

Le deuxième mensonge est celui de la dette. Celle-ci est passée de 20 % du PIB en 1980 à 66 % aujourd'hui.

Certains soi-disant experts et responsables politiques font croire aux Français que l'endettement public n'est pas un problème, que la dette des États n'est pas comme celle des particuliers, que la France trouvera toujours des créanciers pour lui prêter de l'argent à un coût raisonnable, que son rang au sein des nations lui permettra toujours d'être classée parmi les débiteurs les plus sûrs. Les mêmes vont jusqu'à affirmer que la dette sera, un jour, annulée. Je ne me sens en rien un dogmatique. J'ai pris depuis longtemps mes distances avec la pensée économique classique qui, du franc fort à tout prix à l'euro fort en toutes circonstances, nous a privés d'une partie d'un surplus de croissance. Mais ce serait une idée folle de croire que la France peut continuer à s'endetter sans risque.

La France est endettée auprès d'investisseurs nationaux et étrangers. Aucun d'entre eux n'a l'intention de lui faire cadeau de ses créances. La dette que nous ne remboursons pas aujourd'hui, nos enfants devront la rembourser demain. La France n'est pas à l'abri d'un déclassement de sa signature, qui augmenterait le prix auquel on lui prête de l'argent. Elle n'est pas davantage prémunie contre une augmentation générale des taux d'intérêts dans le monde, qui a déjà commencé. Les intérêts versés par l'État au titre de la dette publique représentent déjà tout le produit de l'impôt sur le revenu et un budget supérieur à celui du ministère de la défense. C'est considérable.

Pire, notre dette ne finance pas des dépenses d'avenir, celles qui augmentent la croissance et le bien-être de demain, mais des dépenses courantes. Nous dépensons moins par étudiant dans l'enseignement supérieur que dans les pays étrangers. Nous dépensons trop peu dans le domaine de la recherche. Alors que le prix du pétrole atteint des niveaux très élevés et que la perspective de l'épuisement des ressources pétrolifères devient une réalité, nous n'avons pas encore engagé le rééquilibrage de nos infrastructures de transport en faveur de la locomotion humaine, des transports collectifs et des transports ferroviaires, ni équipé suffisamment le territoire en sources d'énergies renouvelables. De même, les équipements nécessaires à l'accueil des personnes âgées dépendantes ne sont pas suffisants. Je ne fais pas de l'endettement et de sa réduction un dogme, juste une question de bon sens et de respect pour les générations à venir.

Les fonctionnaires, acteurs du changement

Pendant des années, nombre de fonctionnaires se sont tournés vers la gauche par désespoir d'une droite qui tenait à leur endroit un discours perçu comme exclusivement critique et parfois manquant même de respect. De fait, si notre avis sur les fonctionnaires se réduit à les assimiler à de la « mauvaise graisse » et si notre projet consiste à leur promettre comme seule perspective la réduction des effectifs, il y a peu de chance que les fonctionnaires, y compris proches de nos idées, y trouvent leur compte. Je crois à la nécessité de ne remplacer qu'un fonctionnaire sur deux qui part à la retraite. L'État doit dépenser moins. Les salaires et les pensions de la fonction publique représentant presque 45 % du budget de la nation, c'est une nécessité incontournable. On ne peut la différer. On ne peut biaiser. On ne peut l'éviter. Est-ce à dire pour autant qu'il n'y a pas un discours positif à tenir à l'endroit du monde de la fonction publique ? En aucun cas. On doit d'abord consacrer 50 % des gains nés de la réduction des effectifs à l'augmentation du salaire des fonctionnaires. Moins nombreux, ils seront mieux payés. C'est un projet juste. On doit ensuite rompre avec la logique exclusive des concours et des examens pour passer au grade supérieur, qui aboutit parfois à récompenser celui qui s'est moins investi dans le service pour mieux se consacrer à la révision de ses examens. 50 % des postes ouverts aux concours internes devraient être réservés à la valorisation de l'expérience et du mérite et pas seulement au fait de réussir des épreuves théoriques de plus en plus difficiles. C'est un projet qui facilitera considérablement la promotion sociale et rendra les carrières plus fluides. On devrait enfin encourager la mobilité à l'intérieur de la fonction publique. Être obligé de présenter à un concours pour passer du poste d'agent administratif au ministère des Finances à celui d'agent administratif au ministère de l'Intérieur est une rigidité inutile dont l'administration n'a pas besoin et dont les fonctionnaires pâtissent, en particulier lorsqu'ils veulent changer d'implantation géographique. Le droit à la formation à un nouveau métier et le droit à l'exercice d'une nouvelle activité doivent être garantis. Des fonctionnaires mieux payés, mieux formés, mieux traités, mieux considérés et... moins nombreux, voilà ce qui me semble être un projet utile pour la France et séduisant pour les fonctionnaires dont le dévouement et la compétence méritent à mes yeux une considération plus grande que celle qui leur est habituellement réservée. J'ajoute que, dans la fonction publique, les 35 heures sont un boulet. Elles ont désorganisé nos services publics. Il faut permettre à tous les fonctionnaires qui le souhaitent de s'émanciper de cette règle et ainsi de gagner davantage.

Assumer un libéralisme régulé

Il est enfin une contre-vérité sur laquelle je veux que nous ayons un débat authentique, c'est celle de l'anti-libéralisme. Je comprends très bien qu'on puisse être anti-libéral. Je souffre suffisamment du poids de la pensée unique pour ne dénier à personne le droit de penser ce qu'il veut. Mais enfin, il faut être clair sur ce que l'on dit.

Je note d'abord que l'on parle toujours de l'ultra-libéralisme, jamais de l'ultra-socialisme. Je pense les Français suffisamment clairvoyants pour faire la différence entre une conception libérale de la société et de l'économie et un ultra-libéralisme primaire et dogmatique.

Le fait d'être libéral ne m'empêche pas de penser que l'économie libérale a besoin de régulation, de normes, de contraintes, comme le droit du travail, le salaire minimum, le droit syndical et les règles de représentation des salariés, le droit des consommateurs, le droit de la concurrence, pour être au service de l'homme et non pas l'inverse.

Je suis convaincu que, dans certains secteurs comme la culture et le sport, l'argent doit être soumis à des règles spécifiques. Je pense également que les services publics sont nécessaires, car il existe des biens et des services tellement essentiels ou tellement particuliers qu'on ne saurait les soumettre aux lois du marché.

Mieux, je considère que l'État a des responsabilités à assumer, en particulier qu'il doit avoir une politique industrielle et de recherche. C'est ce que j'ai fait en défendant Alstom, en favorisant le rapprochement entre Sanofi et Aventis, en créant les pôles de compétitivité, aujourd'hui en créant les pôles d'excellence rurale. J'estime qu'en confiant à la Banque centrale européenne la maîtrise de la politique monétaire sans prévoir les conditions d'un débat institutionnel avec les autorités politiques, on est allé trop loin. L'inflation a été autrefois le problème majeur des économies européennes. Aujourd'hui c'est d'abord la croissance et, corrélativement, le chômage. Comme c'est le cas aux États-Unis, il faut que les ministres de l'Économie et des Finances de la zone euro aient des échanges réguliers avec le président de la BCE pour construire ensemble une politique monétaire dans le respect du rôle et des prérogatives de chacun.

Enfin, je ne vois pas en quoi le libéralisme s'oppose à la politique sociale. Au contraire. Le rôle de l'économie est de produire des richesses, le rôle de la politique est de les partager équitablement.

Mais ce que je veux surtout affirmer, c'est que l'économie de marché, qui n'est que l'autre nom du libéralisme, produit plus de richesses que le communisme, qui n'est que l'autre nom de l'anti-libéralisme. La leçon de l'histoire s'est malheureusement révélée particulièrement éclairante sur ce point. Aucune ambiguïté n'est possible. Partout le communisme a généré de la misère et des dictatures. Jamais la liberté ne fut contre productive en termes de démocratie et de croissance. Je ne comprends pas qu'on puisse penser, et encore moins dire, que le « libéralisme, ce serait aussi désastreux que le communisme ».

Le parti social-démocrate allemand a reconnu le bien-fondé de l'économie de marché en 1959. Cela ne dissuade nullement le parti socialiste français, en 2006, de faire des ronds de jambe à l'extrême-gauche, aux trotskistes et autres altermondialistes, et à envisager sérieusement de gouverner avec eux. Dix-sept ans après la chute du mur de Berlin, c'est une curieuse lecture de l'histoire, c'est une impasse pour notre pays et une manière bien peu respectueuse envers les millions de victimes du communisme. Pour être dérangeante, c'est une vérité qui doit être dite. Et j'aimerais que les socialistes français aient avec l'extrême-gauche la même intransigeance que la droite avec l'extrême-droite.

Ce sont des idées, des principes, une conception de l'homme qui sont tout simplement incompatibles avec les valeurs de notre pays.

Rompre avec le retard français

Il nous faut ensuite rompre avec l'immobilisme. Je n'entends pas dresser ici la liste des réformes qui me semblent nécessaires. Ce n'est pas l'objet de ce livre. Je veux seulement indiquer qu'à force de différer l'action, notre pays a accumulé du retard et s'est ankylosé dans de nombreux domaines. Il vient un moment où il est préférable de reconstruire intégralement une politique à partir de ses principes fondateurs, plutôt que d'accumuler des dispositifs nouveaux qui ne font que s'empiler sur les dispositifs anciens.

En octobre 2005, le Premier ministre a donné son point de vue sur la rupture en relevant que « le général de Gaulle avait voulu faire bouger les choses dans la continuité, pas dans la rupture ». Je ne suis pas de cet avis. L'ampleur et le nombre des réformes entreprises par le général de Gaulle, à la sortie de la guerre puis à partir de 1958, font du gaullisme une rupture en tant que telle. Le général de Gaulle a ainsi changé les institutions, en autorisant d'abord le vote des femmes puis en veillant à l'élaboration de la Constitution de la cinquième République. Il a transformé la politique économique en mettant en place la planification et les nationalisations. Il a doté la

France d'une politique énergétique et de transport (création de Charbonnages de France et du CEA en 1945 et de l'Union générale des pétroles en 1958, création d'Air France). Il a créé la sécurité sociale, le statut général de la fonction publique, l'ENA, l'intéressement et la participation et, avec Malraux, la politique culturelle. Il a changé la monnaie (nouveau franc), inventé l'hôpital moderne, réformé la justice et la fiscalité. Il a fait entrer l'agriculture dans un autre monde, celui de la modernisation et de la politique agricole commune. Et naturellement, il a mis fin à la colonisation et donné à la France des options profondément nouvelles de politique étrangère et de défense (le couple franco-allemand grâce au traité de l'Élysée, le retrait du commandement intégré de l'OTAN, la dissuasion nucléaire, le discours de Phnom Penh en 1966). Avant de me convaincre qu'il s'agit de continuité, il faudra du temps !

Il ne faut pas tout changer pour le plaisir de changer. Il s'agit de ne plus hésiter à aller au fond des choses lorsque c'est nécessaire. Je veux en donner quelques exemples.

Le système fiscal français cumule plusieurs handicaps, indépendamment même du niveau élevé des prélèvements obligatoires. Il est d'abord extrêmement compliqué. C'est un enchevêtrement de taxes, de niches, de dispositions dérogatoires, d'exceptions aux dispositions dérogatoires, etc. Plus personne ne s'y retrouve. La fiscalité qui pèse sur les entreprises est trop élevée par rapport à celle de nos concurrents, en particulier à cause de la taxe professionnelle dont personne ne conteste qu'elle est devenue un non-sens économique. La fiscalité qui pèse sur les personnes physiques cumule tous les inconvénients et aucun avantage des solutions retenues par nos partenaires. L'impôt sur le revenu n'est payé que par la moitié des ménages, qui ont le sentiment d'être les seuls à verser au pot commun. Mais le poids de la TVA, de la CSG et l'injustice flagrante que constitue la taxe d'habitation se cumulent pour aboutir à une fiscalité des ménages qui n'est finalement pas très équitable. Les charges qui pèsent sur les salaires continuent de défavoriser l'emploi. Enfin, nous n'avons pas ou très peu de fiscalité écologique.

La rupture, ce serait d'avoir le courage et l'énergie de remettre notre système fiscal à plat. De le simplifier. De le rendre plus juste, plus efficace, moins dissuasif pour le travail, le risque et l'initiative. De le moderniser, en passant notamment à la retenue à la source pour l'impôt sur le revenu. De regrouper au maximum la fiscalité directe des ménages dans un seul impôt, celui sur le revenu, avec une tranche additionnelle correspondant à l'impôt de solidarité sur la fortune. D'affecter une taxe locale à chaque niveau de collectivité, plutôt que chaque collectivité touche un petit pourcentage de chacune. De supprimer la prolifération des taxes, prélèvements et autres contributions au profit de quelques impôts clairement identifiés et intelligemment conçus pour concilier rendement et justice.

Savoir, c'est pouvoir

Je veux évoquer la question de notre système d'enseignement supérieur et de recherche. C'est un sujet capital pour le destin de notre pays et la place qui sera la sienne dans le monde de demain. Chaque jour, la mondialisation met davantage en compétition les systèmes d'enseignement supérieur et de recherche. À l'heure de la société de la connaissance et de l'innovation, les performances de notre système seront plus que jamais déterminantes pour l'avenir. Elles décideront de notre maîtrise des sciences et des technologies les plus avancées. Elles conditionneront notre potentiel de création de richesses à long terme, donc notre niveau de vie et celui de nos enfants. Elles seront décisives pour la compétitivité de notre économie et l'attractivité de notre territoire.

Face à ce défi considérable, je suis au regret de constater que notre système ne répond pas aux meilleurs standards internationaux et qu'il donne des signes de faiblesse très préoccupants. Notre effort de recherche s'est relâché depuis le milieu des années 1990 pour stagner aujourd'hui autour de 2,2 % du PIB, se situant dorénavant en net retrait derrière les grandes puissances industrielles, États-Unis, Japon, Allemagne, mais aussi Suède et Corée du Sud. La Chine vient même de passer devant nous pour ce qui est de son poids dans les dépenses mondiales de recherche. Quant à l'impact scientifique de nos travaux de recherche, il est lui aussi en recul si l'on en juge par la diminution de notre contribution au volume mondial des publications, des citations scientifiques et des brevets. L'enseignement supérieur n'est guère mieux loti. La dépense par étudiant est en France inférieure de 20 % à la moyenne de l'OCDE. Fait plus atypique encore, elle est même inférieure à la dépense que nous consacrons à chaque élève des collèges et des lycées. Les études supérieures longues ne concernent que 37 % d'une classe d'âge contre 64 % aux États-Unis, plus de 70 % dans les pays scandinaves. Pire, les taux d'échec dans les premiers cycles de nos universités figurent parmi les plus élevés au monde. Plus de la moitié des étudiants inscrits échouent avant d'obtenir le moindre diplôme ! C'est une immense déception pour des milliers de jeunes Français.

Pourtant, il n'y a pas de fatalité à cette situation. La France ne manque ni d'atouts ni de talents. Elle doit seulement créer les conditions nécessaires pour qu'ils puissent s'exprimer pleinement.

Bien sûr, il est urgent d'accroître les moyens alloués à l'enseignement supérieur et à la recherche. Mais cela ne suffira pas si l'on ne réforme pas aussi en profondeur l'organisation et le fonctionnement de notre système, dont les grandes lignes n'ont que très peu évolué depuis soixante ans. Nos universités sont trop petites et pas assez autonomes. Elles sont à la périphérie d'un effort de recherche dominé par les grands organismes qui accaparent l'essentiel des financements. Elles doivent faire face à la concurrence des grandes écoles et des classes préparatoires qui, elles, peuvent sélectionner et choisir leurs élèves, mais n'en forment que trop peu et sont invisibles à l'étranger. Nos universités n'ont pas suffisamment de liens avec leur environnement économique. Pour résumer, elles ne sont pas en situation de rivaliser à armes égales avec leurs homologues étrangères, ce qui compromet notre capacité à retenir et à attirer les étudiants et les chercheurs les plus prometteurs. Or, l'université est partout dans le monde le creuset de la société de l'innovation : c'est là que se rencontrent la science, la jeunesse et le monde économique ; c'est à proximité des universités que se regroupent les laboratoires de recherche et les entreprises innovantes ou de haute technologie.

Nous devons favoriser l'avènement d'universités puissantes et autonomes, appelées à jouer un rôle central dans la formation des élites et dans l'effort de recherche. L'autonomie des universités est la clef de voûte de la réforme de notre système d'enseignement supérieur. Elles doivent disposer des moyens et de la liberté de se gouverner et de se gérer efficacement, qu'il s'agisse de la définition et de la mise en œuvre de leur projet d'établissement, du recrutement, de l'affectation et de la rémunération de leurs personnels, ou encore de la diversification de leurs ressources.

Je crois à la nécessité absolue d'augmenter et non de rationner le nombre des diplômés de l'enseignement supérieur. C'est pourquoi je reste indéfectiblement attaché à la garantie offerte à tout bachelier de pouvoir y accéder. Mais nous devons pouvoir soulever sans drame la question de l'orientation sélective des étudiants à l'entrée des universités, comme cela se pratique chez tous nos voisins européens. Je ne crois pas qu'il soit dans l'intérêt des étudiants de continuer à subir la sélection dans ses modalités actuelles, par l'échec aux examens ou par le chômage et la déqualification à la sortie. Pour les jeunes qui veulent consolider leur culture générale et disposer de cartes supplémentaires avant de formuler un choix définitif d'orientation, nous pourrions créer une première année universitaire dispensant un enseignement généraliste.

C'est là, j'en conviens, un programme de rupture pour notre système d'enseignement supérieur et de recherche. Une telle révolution ne peut concerner d'emblée les 85 universités françaises, mais doit d'abord être conduite par celles qui ont la volonté et la capacité d'assumer ce changement. Mais c'est aussi un programme qui répond aux défis de notre époque et du monde qui se dessine. Un programme dont l'ambition est d'offrir le meilleur à nos enseignants, à nos chercheurs et à nos étudiants pour conforter l'avenir et le rang de notre pays. Alors que la Chine et l'Inde produisent des millions d'ingénieurs et de chercheurs, notre pays ne peut plus se payer le luxe de former chaque année dans certaines filières bien plus d'étudiants que d'emplois créés dans ces métiers depuis 1945.

Réconcilier l'école avec le progrès social

Je veux évoquer enfin ce que serait pour moi une rupture dans l'Éducation nationale. Depuis trente ans, la gauche et la droite regardent l'école avec des grilles de lecture idéologiques qui ne tiennent pas compte de la réalité de l'institution scolaire, de ses attentes, de ses besoins. D'un côté, l'augmentation disproportionnée des moyens, le règne du pédagogisme, le clientélisme électoral ; de l'autre, la recherche des économies budgétaires, la valorisation excessive de l'apprentissage, le dénigrement du corps enseignant. Autant de postures qui, à force d'être caricaturales, ont laissé l'école à elle-même, et les familles à leurs aspirations déçues. Aujourd'hui, l'école de la République, laïque, gratuite, mixte, reste pour les Français un objet profond d'attachement. Mais ils sont plus que jamais convaincus qu'il n'y a pas de progrès social sans progrès scolaire ; et l'école n'attend pas autre chose : qu'on lui indique les défis qu'elle doit relever, et qu'on lui fasse confiance pour le faire.

Dans une société où le savoir et la connaissance vont être de plus en plus décisifs, je ne pense pas qu'il faille réduire les moyens de l'Éducation nationale. C'est même l'exact opposé de la direction qu'il faut prendre. Mais qu'on ne compte pas sur moi pour promettre de les augmenter car ce serait mentir aux Français. Je pense que nous pouvons et devons faire mieux avec ce que nous avons.

Toutes les études le confirment, le premier facteur de réussite des élèves est la qualité pédagogique des enseignants. Malheureusement, depuis des années, on en cherche la pierre philosophale dans les IUFM et dans les circulaires. Elle se trouve dans l'expérience. Aucune circulaire administrative ne remplacera l'expérience d'un professeur des écoles qui, depuis des années, enseigne la lecture à des dizaines d'enfants tous différents. Je suis donc favorable à ce que chaque enseignant soit libre de choisir sa méthode pédagogique. L'Éducation nationale évaluera les enseignants en fonction des résultats des élèves, pas en fonction de la manière dont ils appliquent ou non les méthodes pédagogiques imposées d'en haut.

J'estime ensuite que l'importance du métier d'enseignant pour nos enfants et pour notre pays n'est pas suffisamment reflétée dans les bulletins de salaire des professeurs. Promettre à nos 900 000 enseignants de tous les augmenter serait facile, mais fallacieux. Je ne le ferai pas. Nous n'en avons hélas pas les moyens. En revanche, je pense que nous devons permettre aux enseignants, notamment les jeunes, qui sont prêts à travailler plus pour gagner plus, de le faire. Ils pourraient encadrer les études surveillées dont je propose la création par ailleurs pour améliorer la vie quotidienne des femmes. De même, les enseignants qui accepteraient de rester au sein des établissements entre leurs cours, pour assurer une présence individuelle auprès des élèves, recevraient une bonification. Ce sont des mesures dont tout le monde sort gagnant.

Enfin, face à ce monde vaste et complexe que constitue l'Éducation nationale, la tentation, notamment à droite, a souvent été de vouloir le commander à la baguette, avec des réformes uniformes, radicales, définitives. Elles n'ont toutefois jamais réussi parce que le consensus est impossible et la capacité de les mettre en œuvre inexistante. Je voudrais que nous ayons, en la matière, une culture du libre choix. Laissons chaque famille choisir ce qui est bon pour son enfant et chaque établissement se doter d'un projet pédagogique mobilisateur. Pendant des années par exemple, on a discuté de l'opportunité d'importer en France le modèle éducatif allemand, qui libère les enfants en début d'après-midi pour leur permettre d'avoir des activités sportives, culturelles et associatives jusqu'au soir. Je crois profondément dans le rôle de ces trois types d'activité pour développer des qualités peu mises en valeur par l'école académique et qui sont pourtant déterminantes dans la vie adulte, notamment professionnelle : le sens des autres, le charisme, l'esprit d'équipe, la créativité. Je crois également que le sport, les arts, la vie associative peuvent permettre à des enfants qui ont des difficultés scolaires de retrouver goût dans l'effort et dans l'école. Ce qui compte n'est pas d'être bon partout, c'est d'être bon quelque part pour avoir confiance en soi. J'aurais aimé en fait suivre l'école allemande ! Mais ce serait à la fois irréaliste et contraire à l'idée que je me fais de la liberté individuelle dans une société comme la nôtre de l'imposer dans toute l'Éducation nationale. Ce que je crois possible en revanche, ce que je crois moderne, c'est que dans chaque ville, les familles aient le choix. Les élèves qui voudraient tenter le « mi-temps » sportif, culturel et associatif pourraient le faire. Ceux qui ne voudraient pas pourraient rester dans l'école « classique ».

Rompre avec des principes formalistes

La rupture, c'est aussi le courage de mettre fin à des préjugés idéologiques, à des principes formels, qui enferment la France dans des impasses. Je voudrais prendre comme exemple celui de la discrimination positive.

En 2002, lors de la première réunion que j'ai eue avec les préfets, j'ai été frappé de constater que la République ne comptait aucun préfet d'origine maghrébine et aucun préfet noir, une situation en régression par rapport à l'époque du général de Gaulle où une ordonnance du 29 octobre 1958 faisait obligation au gouvernement de réserver 10 % des emplois de catégorie A et B de la fonction publique à des Français musulmans.

Cette triste réalité a de multiples causes : le niveau social des familles ; la ghettoïsation des quartiers, entretenue par l'immigration incontrôlée et la fuite de tous ceux qui ont la possibilité de s'installer ailleurs ; l'importance des codes sociaux, qui fait que les jeunes issus de l'immigration réussissent mieux en droit et en médecine, où le recrutement ne dépend que de critères objectifs, qu'en classes préparatoires aux grandes écoles ou dans les instituts d'études politiques où le rôle de certaines conventions sociales s'est aggravé au cours des années récentes ; de nombreuses discriminations enfin, volontaires pour certaines, mais aussi inconscientes et involontaires pour d'autres, produites par le système et les habitudes. Je suis persuadé, par exemple, qu'une bonne partie du « plafond de verre » auquel se heurtent beaucoup de femmes et beaucoup de personnes issues de l'immigration s'explique simplement par le fait qu'on ne les « voit » pas, qu'on ne pense pas à elles pour occuper tel ou tel poste. On cherche un directeur de cabinet pour un ministre, et on pense forcément à un homme, blanc, la cinquantaine et ancien élève de l'ENA puisque ça fait trente ans qu'on ne voit que ça ! Si l'on s'obligeait à chercher plusieurs candidats avec des profils différents, alors on serait conduit à imaginer d'autres personnes dans le poste et l'on s'apercevrait que cela pourrait très bien marcher.

C'est une forme de discrimination positive, d'action volontariste, bien éloignée de la politique des quotas, que de faire l'effort, pour chaque nomination, de proposer des profils différents. Et que le meilleur gagne ! C'est pour cela que j'ai souhaité la nomination d'un « préfet musulman » et, plus tard, de personnes issues de l'immigration ou originaires d'outre-mer pour les préfets à l'égalité des chances dont les postes ont été créés après la crise des banlieues de l'automne 2005. Si je n'avais pas obligé l'administration du ministère de l'Intérieur à chercher ailleurs que dans les dix sous-préfets qui attendaient leur tour pour devenir préfet, alors nous en serions toujours au même point, et nous l'aurions encore été dans dix ans.

Ma proposition déclencha une polémique violente. De Tunis où il se trouvait, le président de la République lui-même qualifia la démarche de « peu convenable » ! Je n'ai toujours pas compris en quoi le souhait de vouloir diversifier le recrutement de nos élites serait contraire à l'idéal républicain. Ce qui devrait choquer la République, c'est qu'on n'accède pas aux mêmes responsabilités selon sa couleur de peau ou la consonance de son nom, pas que l'on veuille remédier à cette injustice. Je m'aperçus à cette occasion qu'on adore dans notre pays dénoncer les situations inéquitables sans guère se donner les moyens d'y remédier.

Pourquoi cette expression de « préfet musulman » ? On a voulu y voir une connotation religieuse. Je fus ainsi accusé de renvoyer une catégorie de la population à sa seule appartenance confessionnelle. Ce procès est absurde. Quand on parle des juifs de France, on ne désigne pas ceux qui se rendent à la synagogue, mais ceux qui se reconnaissent dans une identité davantage culturelle que cultuelle. Eh bien, il en va ainsi de l'expression « musulman », qui ne cherche nullement à enfermer quiconque dans une mosquée, mais qui donne un nom à ceux de nos compatriotes dont l'islam est une partie de l'identité. C'est d'ailleurs l'expression que le général de Gaulle avait retenue dans ses différents textes leur réservant des postes administratifs. D'ailleurs, comment les appeler autrement ? Arabes ? Cela renverrait à une connotation d'ordre ethnique, qui de surcroît ne serait pas exacte pour tous. Je pense aux Berbères, aux Turcs, aux Africains de l'Afrique sub-saharienne. Même remarque pour le terme

Maghrébins qui renvoie à quelques pays. Français issus de l'immigration ? Mais dans ce cas je le suis tout autant et pourtant on ne me désigne pas ainsi. Minorités visibles ? Mais alors on prend le risque de définir une identité par sa seule caractéristique minoritaire. On le voit bien, en fait, la polémique était politicienne et elle n'avait pas de sens.

L'interdiction de dresser des statistiques qui tiennent compte de l'origine des Français n'en a pas davantage. Nos statistiques ne connaissent que deux catégories de personnes : les françaises et les étrangères. Tout le reste ne peut être calculé que par sondages, et encore sous certaines conditions restrictives, ou de manière indirecte par l'indication de son lieu de naissance et de celui de ses parents. Interdit en France de calculer le nombre de Français d'origine maghrébine, d'origine turque, d'origine chinoise, le nombre de Français noirs, et donc impossible de savoir s'ils sont davantage touchés par le chômage, l'échec scolaire, certains problèmes de santé, des problèmes de logement, représentés dans certaines études et professions, absents dans d'autres... S'interdire de le faire, c'est s'interdire de mesurer la diversité de la France et donc refuser de se donner les moyens d'y répondre ! Encore une fois nous privilégions la forme au détriment de la résolution d'un problème de fond. Quant aux difficultés techniques de ces statistiques, qui font craindre à certains le retour de définitions ethniques sordides que nous ne voulons plus voir, elles pèsent de peu de poids. Dans tous les autres pays, on a su les résoudre, ne serait-ce qu'en se fondant sur les déclarations volontaires des personnes concernées.

Je constate que ce qui en 2003 n'était pas « convenable », était « contraire à nos traditions », au « modèle français d'intégration », ouvrait la porte à « l'inacceptable communautarisme anglo-saxon », est aujourd'hui presque devenu à la mode. On ne compte plus les revues, les colloques, les discours qui évoquent la discrimination positive ou l'action volontariste pour remédier aux problèmes de l'insertion sociale des personnes vivant dans les quartiers en difficulté. Une Haute autorité de lutte contre les discriminations et pour l'égalité a été créée et ses pouvoirs récemment élargis. Un lycée d'excellence va être expérimenté en Seine-Saint-Denis pour permettre aux élèves d'avoir une chance de rejoindre nos filières d'enseignement supérieur les plus prestigieuses. Les partenariats et les tutorats avec les grandes écoles se multiplient, et chaque entreprise rédige sa charte de la diversité.

Je ne vais pas m'en plaindre. Je regrette seulement qu'on ait éprouvé le besoin de commencer par user contre moi, à ce sujet, de raccourcis, d'amalgames et de caricatures destinés à discréditer la proposition autant que son auteur. C'est d'ailleurs le discrédit jeté sur l'idée qui est le plus condamnable. Agir en ce domaine est en effet une priorité majeure. Si la France n'entreprend pas, au cours des cinq prochaines années, de corriger en profondeur le déséquilibre de réussite sociale créé par les discriminations répétées dont font l'objet les personnes issues de l'immigration récente, elle installera durablement le ressentiment et, pour le coup, nous subirons les replis communautaristes. C'est donc bien d'une rupture qu'il doit s'agir.

Il faut faire un effort important en matière éducative, non pas en regroupant tous les enfants en difficulté dans les mêmes écoles (politique des ZEP), mais en donnant à chaque enfant en difficulté le soutien particulier qui lui convient pour surmonter ses handicaps. Il faut permettre aux enfants issus de l'immigration de rejoindre les filières d'excellence de l'enseignement supérieur, en luttant contre la prégnance des codes sociaux et plus encore contre le « déficit » d'ambition. Trop d'enfants renoncent, tout simplement parce qu'ils pensent que ce n'est pas pour eux. Il y a moins d'enfants d'ouvriers et d'employés dans les grandes écoles aujourd'hui que dans les années 1950. On ne peut quand même pas dire que ce soit un progrès. Pour y parvenir, il faut multiplier les expériences comme celles de Sciences-Po et de l'Essec, qui consistent pour ces écoles à se jumeler avec des lycées situés dans des quartiers défavorisés et à aider les élèves à les rejoindre. Les méthodes sont variables, elles font d'ailleurs débat, mais ce n'est pas l'essentiel à ce stade. Plus généralement, il faut que chaque établissement scolaire envoie les dossiers de ses meilleurs élèves en classes préparatoires (aujourd'hui la moitié des établissements scolaires n'envoient aucun dossier d'élève en classe préparatoire) et que les classes préparatoires soient obligées de réserver un certain nombre de places aux élèves issus des lycées les moins favorisés. Il faut créer des formations spécifiques pour l'accès aux concours de la fonction publique. Il faut enfin que l'administration, les entreprises, les médias, les partis politiques, les associations fassent un effort de diversité dans le recrutement de leur main-d'œuvre et la composition de leur personnel d'encadrement. L'urgence n'est plus de dénoncer les injustices, mais de se donner les moyens de les réduire. Plus d'énergie dans l'action. Moins d'outrance dans la parole !

À la manière du programme associatif américain *Big brothers, big sisters*, qui depuis plus d'un siècle a aidé des milliers d'Américains issus de milieux défavorisés à s'en sortir par le travail, le mérite, la compétence, la France, qui se cherche des occasions de créer du lien social au point de vouloir rétablir le service militaire, pourrait inciter les étudiants et les jeunes actifs à s'engager dans un tutorat avec des élèves habitant dans des quartiers populaires et leur famille. Cela fait longtemps que je pense que la générosité, le bénévolat ne sont pas assez valorisés dans notre pays. Celui qui consacre du temps aux autres se crée surtout des problèmes administratifs : a-t-il le bon diplôme ? Respecte-t-il la réglementation ? Ses remboursements de frais sont-ils conformes à la circulaire 24-7B-47E de l'administration fiscale ? Que sais-je encore ? Le bénévolat, l'engagement devraient au contraire susciter de la reconnaissance, être valorisés sur un CV, donner droit à des unités de valeur à l'université ou pour la validation des acquis de l'expérience et, pourquoi pas, ouvrir une forme d'exonération fiscale. On l'admet pour les dons en argent. Pourquoi pas pour les dons de son temps, puisque c'est le temps que l'on se consacre les uns aux autres qui manque le plus à notre société ?

Repenser notre message international

S'il est un domaine où je revendique l'ouverture d'un débat approfondi, c'est aussi celui de la politique étrangère. Il ne s'agit nullement de mettre en cause l'action diplomatique du président de la République. Jacques Chirac y a consacré du temps, de l'énergie, du talent et de l'expérience. Son attitude au moment de la crise irakienne a évité à la France bien des désagréments, et aurait mérité d'être mieux entendue par nos amis américains. Cela n'interdit pas de réfléchir sans tabou sur les principales orientations à donner à notre message international.

Je veux d'abord dire à nouveau qu'il ne peut plus reposer sur la volonté d'un seul homme, fût-il président de la République. La notion même de domaine réservé n'a pas de sens dans une démocratie qui se voudrait exemplaire. Notre politique étrangère serait par ailleurs plus lisible si elle était débattue et susciterait une adhésion allant au-delà des limites de la seule majorité du moment. Elle serait donc plus efficace. Ensuite, tout en croyant au message universel de la France, je crains qu'à vouloir être partout, sur tous les sujets, à tous les moments, nous prenions le risque de nous épuiser et d'oublier les lignes de force de nos intérêts stratégiques. Il nous faut, en ce domaine aussi, savoir faire des choix, les concevoir d'abord, les expliquer ensuite. Si le message de la France a vocation à être entendu partout dans le monde, nos intérêts stratégiques ne sont pas les mêmes selon les différentes zones géographiques. Il est des pays où notre présence est vitale pour notre avenir.

Je crois ainsi nécessaire que nous « revisitions » nos relations économiques traditionnelles pour les réorienter vers les zones de forte croissance. La Chine, l'Inde, le Brésil, l'Asie du Sud-Est doivent être privilégiés. Faire l'essentiel de notre commerce extérieur avec nos seuls voisins géographiques nous condamne à n'augmenter nos exportations qu'au seul prorata de leur taux de croissance. Or ceux-ci sont faibles. Nous nous privons ainsi de nombreuses opportunités. Notre diplomatie doit s'adapter aux nouvelles réalités internationales avec davantage de célérité. La géographie mondiale de la croissance a été bouleversée ces dix dernières années. Notre réseau diplomatique doit s'en inspirer, se remettre en cause, s'adapter à ce nouveau contexte. Il en est de même sur le plan culturel. Je ne suis pas sûr que nous ayons besoin de services économiques extérieurs et de plusieurs consulats et Alliances françaises dans tous les pays de l'Union européenne. En revanche, nous avons besoin de déployer des services et de diffuser la langue et la culture françaises dans des pays comme l'Inde, la Chine, le Brésil.

La priorité africaine

Je suis convaincu qu'il nous faut considérer l'Afrique comme un enjeu prioritaire. La géographie lie de manière inexorable l'Europe au continent africain. À nos portes, 900 millions d'Africains représentent la jeunesse du monde. 450 millions d'entre eux ont moins de dix-sept ans ! Leur pauvreté, leur dénuement, leur absence d'avenir sont leur problème aujourd'hui. Ils seront le nôtre demain. Nous n'avons aucune chance de demeurer un continent stable si nous n'avons pas la sagesse d'aider au développement massif et urgent de l'Afrique. Ce n'est pas seulement une question de morale, c'est un défi vital pour l'Europe dans son ensemble. Aucun pays européen ne pourra relever le défi de l'immigration si les Africains continuent d'imaginer que leur salut économique est en Europe.

L'Afrique est donc une priorité, et pas seulement l'Afrique francophone. Toute l'Afrique. En même temps que nous en ferons une priorité, il nous faudra reconsidérer les modalités de notre politique africaine. Respecter les Africains, c'est d'abord leur dire la vérité, leur parler franchement, les considérer comme des interlocuteurs lucides. Il convient notamment d'arrêter de les exonérer de toute responsabilité dans le retard de développement de leur continent. Faire reposer l'échec africain sur les seules conséquences de la colonisation est contraire à la réalité. C'est s'empêcher de poser un diagnostic pragmatique sans lequel aucun rebond digne de ce nom ne sera possible.

L'immigration doit être un sujet de discussion approfondie. Un accord est possible. Nous ne pouvons accueillir toute la jeunesse africaine. Ils ne veulent pas être dépossédés de leurs élites. Choisir notre immigration pour nous, choisir leur émigration pour eux est d'autant plus possible que nos intérêts sont plus convergents qu'on ne le croit.

Il faut tourner le dos à la politique des « réseaux », ces fameux réseaux qui prétendent aimer l'Afrique et qui ne font qu'exploiter ses richesses et utiliser ses travers. Corrompus, corrupteurs, falsificateurs, ils se sont appuyés sur une prévarication qu'ils ont nourrie et dont ils se sont repus. C'est une image détestable de l'Afrique et de la France.

Entre amis, entre alliés, entre voisins, il n'y a nul besoin de relations officieuses coupables puisque les relations officielles, franches et amicales iront jusqu'au bout de tous les sujets. J'ajoute que l'amitié avec l'Afrique, cela doit d'abord être l'amitié entre des peuples qui communiquent par la voie d'institutions démocratiques. Tout ne peut être fondé sur des relations personnelles entre chefs d'État. Ces relations ne durant que le temps d'un mandat, elles sont précaires. Elles peuvent devenir ambiguës. Ce n'est pas ainsi que l'on construira la nouvelle politique africaine dont nous avons un urgent besoin. Dans le même esprit, il nous faut impérativement privilégier les États démocratiques pour mieux nous abstenir de relations avec ceux qui ne le sont pas ou ne le sont plus. De ce point de vue, le Mali et le Bénin sont des exemples à conforter, soutenir, aider. Il est temps de comprendre qu'il n'y a pas « une Afrique », mais « des Afriques ». Privilégier celle dont les valeurs démocratiques se rapprochent le plus des nôtres n'est pas une possibilité, c'est un devoir.

À cet effet, je souhaite qu'un débat s'ouvre au sujet de notre présence militaire sur le continent africain. Tant qu'elle est un facteur de paix, qu'elle évite des affrontements génocidaires, qu'elle apaise les tensions, elle est incontestable. Mais prenons garde au mélange des genres. L'armée française doit être tenue éloignée des luttes pour le pouvoir en Afrique. Elle n'a pas à stabiliser des régimes, à favoriser des présidents au seul motif qu'ils seraient favorables à la France, à privilégier telle ou telle hypothèse pour préparer une succession. La situation ivoirienne devrait nous servir de leçon. Dans ce pays longtemps considéré comme la « Suisse » du continent, nous courons le risque d'être fâché avec tous sans pour autant rétablir l'ordre et de surcroît en faisant prendre de grands risques à nos soldats. Et cela n'a pas empêché le report *sine die* des élections ! Il ne s'agit nullement de déserter l'Afrique en la privant de toute présence militaire française ou internationale. Il s'agit de mieux codifier cette présence, d'assurer une plus grande transparence dans son utilisation, et de ne plus hésiter à refuser l'engagement de nos forces militaires lorsque les conditions démocratiques ne sont pas remplies.

Et les Américains

Je souhaite consacrer un développement particulier à nos relations avec les États-Unis. Notre situation est singulière. Voici un pays qu'une partie de nos élites fait profession de détester ou au moins de critiquer de façon caricaturale et régulière. Ceci est pour le moins étrange, s'agissant d'une nation avec laquelle nous n'avons jamais été en guerre, ce qui n'est pas si fréquent ; qui est venue nous aider, nous défendre, nous libérer à deux reprises dans notre histoire récente ; avec laquelle nous partageons un système de valeurs démocratiques extrêmement proches ; dont nos enfants rêvent de connaître le mode de vie et de partager les passions. De plus, il s'agit de la première puissance économique, monétaire et militaire du monde. Nous partageons avec elle la fréquentation du même océan. Nul besoin d'être un grand stratège international pour comprendre que notre intérêt est d'avoir les meilleures relations avec ce pays.

Tout devrait nous conduire à nous comprendre, à nous entendre, à nous aider. Il n'en est rien. Nos relations sont fraîches, pour ne pas dire froides. Je suis le premier à reconnaître que les Américains eux-mêmes n'y sont pas pour rien. Leur propension à penser qu'ils sont dans le camp du bien et donc que tous les autres sont dans celui du mal, leur manque de curiosité et d'appétit pour un monde qui, pour beaucoup d'entre eux, s'arrête aux confins de leur propre pays, la certitude qu'ils ont d'être toujours les meilleurs, tout cela peut légitimement agacer.

Mais au regard de nos intérêts stratégiques, cette opposition constitue une double erreur. Erreur d'abord parce que c'est une mauvaise stratégie d'ignorer ou de critiquer ses amis. Or, les Américains ont été, sont et resteront nos amis et nos alliés. Erreur ensuite parce que l'on est d'autant plus libre pour exprimer des désaccords qu'on le fait sans remettre en cause des liens fondamentaux. Ainsi sur l'Irak, nos désaccords étaient légitimes, mais ils auraient été plus audibles s'ils n'avaient pas été couplés avec la menace de l'utilisation de notre droit de veto. La France est suffisamment forte pour se garder de toute réaction passionnelle, épidermique ou excessive. Je crois à la nécessité de notre entente avec les États-Unis. J'ai la conviction que nous serons d'autant plus légitimes à exprimer nos désaccords, et il y en a, que nous aurons su pacifier et clarifier nos relations en profondeur. Je crois que nous devons éviter de confondre l'amitié durable avec un peuple avec les réticences que peuvent nous inspirer à un moment donné un gouvernement, une méthode, une aventure. Je n'ai pas de fascination pour le modèle américain. Mais à choisir, je me sens plus proche de la société américaine que de beaucoup d'autres à travers le monde.

La realpolitik et les droits de l'homme

Quitte à paraître naïf aux yeux des cyniques, je crois à la nécessité de conserver, d'incarner et de défendre nos valeurs dans le débat international. Autrement dit, je n'adhère pas à cette « realpolitik » qui voudrait qu'au nom d'intérêts économiques supérieurs, on devrait oublier ses principes. Au premier rang de ceux-ci se trouve le respect des droits de l'homme. Ce n'est pas un « détail » à mes yeux. C'est le fondement de la notion même de communauté internationale. Un homme martyrisé demeure un martyr quelle que soit la couleur de sa peau ou sa nationalité. On ne peut mettre sur le même plan nos intérêts économiques et le respect de valeurs universelles. Il ne s'agit pas de chercher à imposer un modèle, de donner des leçons, de s'ériger en garant du bien face à l'univers du mal, encore moins de se prêter à un choc de civilisations. Il s'agit juste d'être fidèle aux principes de la démocratie qui nous imposent un devoir de franchise.

Je me souviens que durant les années du Rideau de fer, on feignait de croire que les peuples d'Europe centrale et orientale n'avaient pas les mêmes aspirations à la liberté que nous. Les Russes étaient condamnés à la dictature parce qu'après tout ils n'avaient connu que cela. C'était dans leur mentalité ! Je ne crois pas à la « relativité culturelle » des droits de l'homme, de la liberté, de la démocratie. Je crois qu'il s'agit de valeurs universelles et que tout homme y aspire.

Ce ne serait pas manquer de respect à cet empire qu'est la Chine que d'interroger les Chinois sur le sort des prisonniers politiques. La Chine accumule assez de réussites pour ne pas se formaliser que le monde lui demande des explications sur ses insuffi-

sances démocratiques. On peut admirer une civilisation, s'enthousiasmer sur ses réussites récentes et
remarquables, construire une relation de solide et
profonde amitié et être lucide et exigeant dans des
domaines où rien ne peut justifier le silence. Se taire,
c'est être complice. Or, c'est l'un des bienfaits de la
mondialisation que de mettre les mêmes informations au service de tous. Aujourd'hui, on sait tout sur
tout, quasiment au même moment. Le silence en est
devenu d'autant plus odieux.

Ce que j'affirme pour la Chine, je pourrais le dire
s'agissant de la Russie. Il ne faut pas humilier le sentiment national russe tellement mis à l'épreuve ces
quinze dernières années. Mais on ne peut ni ne doit
passer sous silence le drame tchétchène, les interventions russes illégitimes en Biélorussie, les
hésitations coupables au moment de la révolution
orange en Ukraine. Vladimir Poutine a eu le mérite
de conduire la Russie vers la démocratie. Démocratie
imparfaite, mais démocratie. Cela ne doit pas nous
réduire à la complaisance s'agissant de comportements qui, pour se passer aux confins de l'Europe et
de l'Asie, n'en sont pas pour autant acceptables. J'ai
été heureux de constater et d'apprécier le courage
d'Angela Merkel sur ces sujets. De mon point de vue,
la France gagnerait beaucoup en rayonnement, en
prestige et donc en efficacité, à irriguer sa diplomatie
d'une réelle intransigeance sur le respect des valeurs

universelles qu'elle a toujours incarnées, mais pas toujours défendues avec suffisamment de force.

Le monde arabe

Nous adresser au milliard de musulmans dans le monde est une nécessité. La France a un rôle à jouer, une parole qui est écoutée, une fonction à assumer dans le monde arabe et musulman. Mais nous ne devons pas oublier que ce monde n'est pas unique. Il est multiple. Le concept même de politique arabe est un non-sens. Nous devons concevoir et mettre en œuvre une politique adaptée à chacune des régions de ce monde et ne pas nous laisser aveugler par une unité qui n'est que virtuelle.

Nous ne pouvons ensuite conditionner nos relations avec Israël aux soubresauts de nos intérêts avec les sociétés arabes. Israël est le produit de la Shoah. La Shoah est une tache sur le XXe siècle et, au-delà même, sur toute l'histoire humaine. Toutes les démocraties sont comptables de la sécurité d'Israël. Cette sécurité est non négociable. Cela n'interdit nullement à la France d'exprimer ses désaccords avec le gouvernement israélien. Mais ces désaccords, aussi importants soient-ils, ne pourront jamais remettre en cause les liens avec ce petit, mais si symbolique pays dont nous ne pouvons qu'admirer le fonctionnement démocratique et les performances économiques. Corrélativement, nous devons affirmer le droit non négociable des Palestiniens à former un État indépendant.

Les grands débats internationaux

La France devra enfin être partie prenante, dans les organismes internationaux, à tous les grands débats dont dépend la survie de notre planète : la question environnementale avec le respect impératif du protocole de Kyoto sur les émissions de gaz à effet de serre, la question de l'implication des États-Unis et celle de la participation de l'Inde et de la Chine à la réduction effective des émissions ; l'augmentation massive de l'aide au développement, indispensable à la stabilité du monde ; la mobilisation internationale pour faire reculer les grandes pandémies, à commencer par le sida ; la problématique de la non-prolifération, qui concerne au premier chef la puissance nucléaire que nous sommes et qu'il nous faudra demeurer.

Les sujets ne manquent pas et cette liste n'est certainement pas exhaustive. Pour peser davantage dans ces débats, il nous faut à la fois redevenir exemplaire sur le plan intérieur et accroître notre présence stratégique dans les négociations et les organismes internationaux. Être plus forts ne signifie pas être plus durs, mais plus incontournables. Or aujourd'hui notre politique d'intransigeance linguistique nous rend inaudibles. Au nom de la francophonie, nous refusons de parler dans une autre langue que le français dans les négociations internationales, y compris dans les discussions informelles qui sont souvent les plus importantes. Nous sommes ainsi à la fois perçus comme arrogants et exclus des débats ! Dans le même temps, nous avons supprimé par milliers des places d'enseignement du français à l'étranger et des bourses pour permettre à des étudiants étrangers de venir apprendre notre langue en France. C'est totalement contradictoire. Je crois qu'il est temps de sortir de cette hypocrisie dont nous sommes les premières victimes. Bien sûr, nous devons continuer d'exiger qu'il soit parlé en français quand le statut officiel de notre langue l'exige. Mais nous devons également nous donner les moyens de comprendre et de parler les autres langues, notamment l'anglais, y compris de manière subtile et technique. C'est ainsi que nous amènerons nos partenaires à comprendre, à leur tour, l'intérêt qu'ils auraient à parler notre langue.

Parmi les sujets internationaux, la réforme du Conseil de sécurité de l'ONU est un rendez-vous incontournable. Je suis convaincu que l'on ne peut plus se limiter aux seuls membres permanents actuels. Qui peut imaginer que, pour assurer la stabilité de notre monde, on puisse faire l'impasse sur des pays aussi importants que l'Inde, le Brésil, le Japon, l'Afrique du Sud et bien sûr l'Allemagne ? Cette réforme, nous avons tout intérêt à la revendiquer et à la porter. Cela nous évitera de la subir car je la crois inéluctable.

Le nécessaire débat sur la mondialisation

Nous devrons avoir un débat sur la mondialisation. Qu'on ne compte pas sur moi pour en être le contempteur. Nous donner les moyens de nous en sortir au mieux, oui. Dénoncer la mondialisation, non. La mondialisation est une réalité. Nous devons la regarder telle qu'elle.

Je milite pour une mondialisation humaine, c'est-à-dire une mondialisation qui promeut l'émancipation et le progrès de l'homme et rejette ce qui l'asservit. La mondialisation est une occasion unique de généraliser le respect des droits de l'homme et de la démocratie, de rendre la connaissance accessible à tous et de permettre à des millions d'hommes et de femmes d'accéder au développement. On l'oublie trop souvent. Elle est en revanche condamnable et doit être condamnée lorsqu'elle a pour effet de faire travailler des enfants ou de soumettre des hommes et des femmes à des cadences de travail infernales pour des salaires de misère et sans le moindre droit social. Elle est condamnable lorsqu'elle jette des milliers de gens sur les routes douloureuses de l'immigration clandestine. Elle est condamnable lorsqu'elle conduit au pillage des cerveaux. Elle est condamnable lorsqu'elle néglige les préoccupations environnementales, lorsqu'elle oublie que le prix d'un bien n'est pas seulement celui de sa production, mais également celui des nuisances écologiques provoquées par sa fabrication et par son transport. Je souhaite que les négociations commerciales au sein de l'OMC prennent en compte le droit social appliqué par les pays qui sont nos concurrents ainsi que les considérations environnementales. Je considère que le prix des biens devrait refléter également ment le coût environnemental des tonnes de CO_2 émises pour les fabriquer et les transporter.

Mais pour convaincre nos partenaires de l'intérêt, de la nécessité et de la faisabilité d'une mondialisation humaine, ce qui serait un grand dessein pour la France, notre pays doit entrer dans la mondialisation. Il doit en accepter le meilleur pour en combattre le pire, ne pas se conduire comme le village gaulois cerné de camps romains en oubliant qu'il n'y a que dans Astérix que le village gaulois est victorieux.

Le gaullisme aujourd'hui

Les Français sont nostalgiques de l'époque gaullienne, celle où l'on avait le sens de l'État, où la France était respectée dans le monde, où les élus avaient « une vision », où les ambitions personnelles semblaient s'effacer devant la seule ambition collective respectable : le destin du pays. Le monde a beaucoup changé depuis l'époque du général de Gaulle. Sous l'influence de la démocratie d'opinion, des progrès de la liberté de communication et de la liberté d'expression, de la circulation de l'information, une certaine façon de faire de la politique, de diriger le pays ne serait aujourd'hui plus acceptée. En politique étrangère, la situation est également très différente, en particulier du fait de l'Union européenne qui n'avait pas vraiment les faveurs du Général.

Pour autant, je crois que le gaullisme reste sur bien des points une pensée et une méthode pertinentes pour notre temps. Je dirais même qu'il y a une actualité du gaullisme pour notre pays, dont la situation actuelle ressemble à bien des égards à celle de 1958. Le gaullisme, c'est d'abord une liberté intellectuelle qui permit à un homme que tout avait programmé pour sauver l'Algérie française de sauver la France du piège dans lequel elle s'enfermait en ne voulant pas mettre fin à la colonisation. Le gaullisme, c'est ensuite le choix de préserver la France éternelle par le mouvement et la réforme plutôt que par l'immobilisme. Si l'on compare l'évolution de notre pays au cours des trente dernières années par rapport à celles qui ont suivi l'œuvre réformatrice du général de Gaulle, on voit bien où mène la répétition et où conduit l'innovation. Le gaullisme, c'est un rassemblement populaire de Français de toutes conditions autour de l'amour de notre pays et de la fierté d'être français. Le gaullisme, c'est enfin une certaine conception de l'homme. C'est la conviction qu'en tout être humain, une étoile intérieure brille, un rêve secret attend, un idéal espère.

Ce qui est le plus triste dans notre pays, c'est le sentiment éprouvé par tant et tant de Français que leur espoir ne se réalisera pas. La dernière rupture, la rupture la plus forte, celle qui compte le plus à mes yeux, celle qui justifie toutes les précédentes, c'est bien de rompre avec cette désespérance. C'est de rendre à chacun des perspectives. C'est de donner à tous un nouvel espoir, une nouvelle chance, en construisant sa vie, de réaliser son rêve profond.

Conclusion

Les observateurs de la vie politique, comme la plupart des Français, imaginent que je serai candidat aux élections présidentielles de 2007. Je serais bien hypocrite de protester du contraire, mais je sais d'expérience que rien n'est sûr en matière politique. Au moins je veux rester libre de pouvoir le faire. C'est pourquoi j'ai pris toutes les dispositions nécessaires. C'est une perspective qui ne s'improvise pas et il est légitime d'y réfléchir et de s'y préparer. Beaucoup de choses peuvent toutefois se passer d'ici là, comme il s'en est passé beaucoup depuis 2002. Tout est ouvert et le restera encore plusieurs mois.

Nombreux aussi sont ceux qui m'interrogent pour connaître mon sentiment sur celui ou celle qui serait à mes yeux le candidat socialiste le plus aisé à battre lors de cette compétition. J'avoue éprouver le plus grand mal à articuler une réponse simplement satisfaisante. D'abord parce que je ne suis pas le meilleur spécialiste des questions socialistes ! Il suffirait sans doute que je me laisse aller à un pronostic ou à une crainte pour que celui-ci soit immédiatement exploité. Après tout, je ne suis pas obligé de pousser l'élégance jusqu'à conseiller mes adversaires ! Ensuite je sais que, quel que soit le candidat socialiste, le rendez-vous de 2007 sera difficile, complexe, sans doute rugueux et de toute façon plein de rebondissements. Notre manière de faire de la politique s'est affadie avec le temps, les Français eux sont restés impatients, fougueux. Ils sauront le faire savoir comme ils l'ont fait au cours des dernières années. C'est une constante de la vie politique de notre pays. La seule question pertinente à mes yeux, c'est de savoir comment ils l'exprimeront en 2007. Je veux tout faire pour que le cri de colère des Français soit utilisé de façon positive : non pas « contre tout », mais « pour un projet d'espoir ».

En fait, la présidentielle se jouera dans un mouchoir, à 50-50, avec un rapport gauche/droite très équilibré. Pour gagner, il faudra éviter les erreurs, prendre le plus de risques sans antagoniser, être le plus créatif sans inquiéter, manifester le plus fort désir de convaincre tout en étant le plus rassembleur. Le candidat du Parti socialiste sera de toute façon bon et donc redoutable. Il aura fait preuve de sa capacité à surmonter tous les obstacles mis sur sa route pour obtenir l'investiture. Dans mon esprit, il n'y a pas de candidat meilleur qu'un autre. Tout candidat investi par le Parti socialiste aura une chance de l'emporter dans la France de 2007. Conscient de ces réalités, j'ai décidé de faire la course « dans mon couloir » sans me préoccuper des éventuels futurs concurrents. Essayer d'avoir le meilleur projet, les meilleures idées, le meilleur positionnement, le meilleur tempérament me paraît être une ambition plus satisfaisante que de se contenter de l'habituel travail de démolition « de l'autre ».

L'authenticité

Il est clair dans mon esprit, que je ne serai candidat ni à n'importe quel prix, ni à n'importe quelle condition, ni pour n'importe quelle mission. Être candidat pour le prestige de la fonction ne m'intéresse pas. J'ai déjà été plus que comblé de ce point de vue par ma carrière politique et je sais par ailleurs que le prix à payer est beaucoup trop élevé pour avoir cette seule motivation à l'esprit.

Être candidat pour terminer au sommet ne me motive pas davantage. J'aurai cinquante-deux ans en 2007, un âge considéré comme jeune en politique, bien qu'il ne le soit pas, ce qui devrait d'ailleurs faire réfléchir tous ceux qui pensent qu'à cinquante ans, on n'est plus bon qu'à attendre la préretraite. La possibilité de commencer une autre carrière professionnelle m'est ouverte et la perspective me déplaît moins qu'on ne pourrait le croire. Je sais depuis longtemps que, quoi qu'il arrive, je ne terminerai pas ma vie professionnelle en faisant de la politique.

Être candidat pour raconter une histoire aux Français, les faire rêver au prix du sacrifice de l'avenir, comme on le fait depuis tant d'années, serait suicidaire dans le monde d'aujourd'hui. Je ne prendrai pas les responsabilités les plus importantes de notre pays sur la base du mensonge, fût-il consenti. Car le mensonge durant la campagne se paie au prix de l'immobilisme durant le mandat.

Je n'oppose pas au mot mensonge le mot vérité. Je lui préfère celui d'authenticité, tant j'ai pris conscience avec le temps et l'expérience que la vérité pouvait être multiple. Il y a une vérité du moment. Il y a une vérité propre à chaque individu. Il faut donc savoir relativiser. Avec la sincérité en revanche, on ne biaise pas. Je ne conçois pas de participer aux prochains rendez-vous si ceux-ci ne se jouent pas sur l'authenticité du discours et de la personne. C'est pourquoi j'ai choisi d'écrire tel que je suis. Si ce choix présente un risque, je préfère celui-ci à la dissimulation, à l'hypocrisie, au mensonge ou même à la comédie.

Construire

Une candidature aux élections présidentielles n'a de sens que si elle est faite pour construire. C'est parce qu'on ne construit rien de solide sur le sable que je souhaite, sur ce point également, que le débat préalable à l'élection de 2007 soit fondé sur des propositions franches. Je dirai avec précision ce que j'entends faire, comment, à quel rythme et même avec qui.

Il faut une vision claire de ce que l'on veut pour la France et de ce que l'on souhaite pour les Français. François Mitterrand et Jacques Chirac sont des hommes d'État davantage portés par l'histoire et la tradition de la France que par sa réforme. Après tout, c'était bien leur droit et c'était le choix des Français de les élire. Mon énergie, mon enthousiasme, je les sens davantage capable de se mobiliser pour le renouveau. C'est peut-être cela un destin : celui d'une rencontre entre un homme ou une femme à un instant de sa vie et un pays dans l'état où il se trouve à ce moment donné. Ce qui m'intéresse est la modernisation de notre pays. Je n'imagine pour lui que la première place en Europe. Je veux un avenir pour chaque Français. Je veux que soit reconnu à chacun un droit à la promotion sociale. Je veux que chaque mérite soit reconnu. Je pense que les Français attendent une France d'après. Pas une France radicalement différente. Mais une France dans laquelle les blocages d'aujourd'hui seraient levés pour que chacun puisse réaliser ses espoirs, ses rêves, son idéal.

Cette France, je la vois d'abord comme un pays libre. Un pays dans lequel on peut dire des choses sans risquer l'anathème. Un pays dans lequel l'originalité de la pensée est valorisée. Un pays dans lequel il n'y a plus de discrimination selon une couleur de peau, la consonance d'un nom de famille ou une adresse dans un quartier, mais où le droit de réussir est garanti à tous ceux qui s'en donnent les moyens. Dans ce pays, on pourra croire et pratiquer une religion sans être qualifié de bigot ou de terroriste. On pourra mettre ses enfants dans l'école de son choix. On pourra reprendre à tout moment des études sans être prisonnier de filières et d'orientations qu'on aura prises ou pas su prendre à quinze ans. Créer une entreprise y sera possible, encouragé et mis en valeur, non pas suspecté ou conspué. Dans ce pays, chacun pourra décider de sa vie, le choix sera mieux garanti que le statut, l'État cherchera à résoudre les problèmes en multipliant les solutions, pas en imposant une voie unique.

Cette France, elle sera un exemple de démocratie moderne et responsable. On pourra être en désaccord tout en se respectant, et même changer d'avis. Le débat au sein d'un même parti n'y sera pas vécu comme une division, mais au contraire comme une richesse. La morale politique aura remplacé les coups bas. Le Parlement exercera un réel contre-pouvoir au pouvoir exécutif. Dans ce pays, la raison d'être du pouvoir est d'agir, pas de durer. La politique attire de nouveau les meilleurs et le peuple a de nouveau confiance dans ses élites qui, elles, ne réduisent pas la capacité du peuple à accepter les réformes aux cent jours suivant l'élection présidentielle. Dans ce pays, ceux qui ont du pouvoir, qu'il soit politique, judiciaire ou économique, rendent compte de la manière dont ils l'exercent. Dans cette France, le travail, les efforts et le mérite paient. La promotion sociale est un espoir légitime et possible. Celui qui travaille gagne toujours plus que celui qui ne travaille pas. Celui qui prend des risques est toujours plus récompensé que celui qui n'en prend pas. Être bénévole y est un facteur de reconnaissance sociale, et non pas une source de problèmes administratifs. Tout n'est pas joué à vingt-cinq ans parce qu'on a le bon ou le mauvais diplôme. On peut recommencer après avoir échoué. Dans ce pays, la réussite est valorisée car elle est regardée comme un bien commun. Le fait de travailler suffit pour devenir propriétaire. On peut transmettre à ses enfants le fruit de son travail en franchise d'impôts.

Cette France sera capable de concilier la solidarité et la responsabilité. Son école sera le pilier de l'égalité des chances. Elle donnera plus à ceux qui ont plus de handicaps. Ses malades bénéficieront des meilleurs traitements sans aucune différence selon leur condition. Aider ne se résumera pas à verser des prestations, mais se traduira par un accompagnement humain et personnalisé jusqu'au retour à l'autonomie.

Cette France tendra la main à tous ceux qui sont dans le besoin, mais qui font aussi de leur côté l'effort de s'y accrocher.

Cette France, c'est un pays qui a cessé de ne produire que de la dette et du chômage. Il a retrouvé l'équilibre de ses finances publiques et de ses comptes sociaux par la croissance et le retour au plein-emploi. Il peut de nouveau engager des dépenses d'avenir. Perdre son emploi n'y est plus un drame parce qu'en retrouver un est facile et rapide. Les entreprises créent sans cesse des produits innovants, remportent de nouveaux marchés, augmentent les salaires et donnent du pouvoir d'achat.

Cette France, c'est un pays dont le bien-être augmente grâce au sport, à des transports collectifs plus confortables et plus fréquents, à la multiplication des espaces verts, à la réduction des nuisances environnementales, à la facilitation de la vie quotidienne, en particulier celle des femmes.

Cette France, c'est un pays qui reprend son leadership en Europe et que l'on écoute de nouveau sur la scène internationale.

Cette France est un pays réconcilié. Être français se définit à nouveau comme le fait d'aimer la France, ses valeurs éternelles, son destin exceptionnel, sa culture universelle. C'est une France où l'expression « Français de souche » a disparu. Où la diversité est comprise comme une richesse. Où chacun accepte l'autre dans son identité et le respecte. Où la sur-enchère des mémoires s'incline devant l'égalité devenue enfin réalité.

Cette France, je l'ai appelée la France d'après. Mais c'est au fond la France de toujours qui aurait tourné le dos à cette France qui désespère, à cette France qui divise, à cette France qui piétine, à cette France qui recule, à cette France qui ne parle plus au monde parce qu'elle ne le comprend plus et n'a plus rien à lui dire.

Je crois que nous sommes nombreux à en rêver et nombreux à vouloir la construire.

Oui définitivement, je suis français parce que j'aime notre nation. Je crois en son destin. Je lui imagine un avenir à la hauteur de son histoire.

Ce livre, je le dédie à la France qui travaille, mais aussi à la France qui souffre. À tous les Français quels que soient leur statut, leur région d'origine, la couleur de leur peau, leur engagement politique, leur âge. Je veux parler à tous ceux qui ne se résignent pas à l'im-mobilisme. À tous ceux qui veulent construire ensemble la France de demain. À tous je veux dire : par notre volonté collective, tout est possible.

Table

Chapitre VII

Achevé d'imprimer sur les presses de

BUSSIÈRE

GROUPE CPI

à Saint-Amand-Montrond (Cher)
en juillet 2006

N° d'édition : 1090/03. — N° d'impression : 062610/4.
Dépôt légal : juillet 2006.
Imprimé en France